guide du

montréal
créatif

ULYSSE

Recherche et rédaction: Jérôme Delgado
Contribution à la recherche et aux textes:
Emmanuelle Bouet, Marie-Eve Corbeil, Fabien Fauteux, Rémi Leroux, Nicolas Roy
Éditeurs: Pierre Ledoux, Claude Morneau
Adjointes à l'édition: Annie Gilbert, Judy Tan
Correcteur: Pierre Daveluy
Conception graphique et mise en page:
Philippe Thomas

Conception de la couverture: Pascal Biet, Philippe Thomas
Cartographie: Annie Gilbert, Philippe Thomas
Recherche iconographique: Julie Brodeur

Photographie de la page couverture: *Les Disciplines artistiques*, œuvre signée par le studio Département sur la mosaïque d'écrans dans l'Espace Culturel Georges-Émile-Lapalme de la Place des Arts. Photo: © MatteraJoly / Partenariat du Quartier des spectacles

Cet ouvrage a été réalisé sous la direction d'Olivier Gougeon et de Claude Morneau.

Remerciements

L'auteur tient à remercier Claude Morneau, Olivier Gougeon et toute l'équipe d'Ulysse pour la confiance et l'ouverture manifestées à son égard, ainsi qu'à tous ceux qui ont permis d'améliorer et de bonifier, par leurs commentaires, chacun des parcours. L'auteur aimerait aussi se montrer reconnaissant envers M. François-Marc Gagnon, pour ses précisions historiques, et envers tous ces gens, artistes et travailleurs culturels, qui, semaine après semaine, mois après mois, nous éveillent et stimulent, bousculent notre monotonie quotidienne. Enfin, un gros merci à Josée, à Iris, à Lucas et à Manuel, qui ont dû tolérer absences et angoisses.

Ce guide fait partie d'une initiative plus large de mise en valeur des lieux et des événements de création actuelle à Montréal. Des fiches descriptives de plus de 200 lieux et événements peuvent d'ailleurs être consultées sur le site Internet de Tourisme Montréal (*www. tourisme-montreal.org*).

La réalisation de cette initiative a été rendue possible en partie grâce à une contribution du ministère de la Culture et des Communications et de la Ville de Montréal dans le cadre de l'Entente sur le développement culturel de Montréal.

Tourisme Montréal, Tourisme Québec ainsi que la Conférence régionale des élus de Montréal ont également participé au projet.

Guides de voyage Ulysse reconnaît l'aide financière du gouvernement du Canada par l'entremise du Fonds du livre du Canada (FLC) pour ses activités d'édition.

Guides de voyage Ulysse tient également à remercier le gouvernement du Québec – Programme de crédit d'impôt pour l'édition de livres – Gestion SODEC.

Guides de voyage Ulysse est membre de l'Association nationale des éditeurs de livres.

Note aux lecteurs

Tous les moyens possibles ont été pris pour que les renseignements contenus dans ce guide soient exacts au moment de mettre sous presse. Toutefois, des erreurs peuvent toujours se glisser, des omissions sont toujours possibles, des adresses peuvent disparaître, etc.; la responsabilité de l'éditeur ou des auteurs ne pourrait s'engager en cas de perte ou de dommage qui serait causé par une erreur ou une omission.

Écrivez-nous

Nous apprécions au plus haut point vos commentaires, précisions et suggestions, qui permettent l'amélioration constante de nos publications. Il nous fera plaisir d'offrir un de nos guides aux auteurs des meilleures contributions. Écrivez-nous à l'une des adresses suivantes, et indiquez le titre qu'il vous plairait de recevoir.

Guides de voyage Ulysse
4176, rue Saint-Denis, Montréal (Québec), Canada H2W 2M5, www.guidesulysse.com, texte@ulysse.ca

Les Guides de voyage Ulysse, sarl, 127, rue Amelot, 75011 Paris, France, voyage@ulysse.ca

Catalogage avant publication de Bibliothèque et Archives nationales du Québec et Bibliothèque et Archives Canada

Delgado, Jérôme

    Guide du Montréal créatif

    Comprend un index.

    ISBN 978-2-89464-599-4

    1. Montréal (Québec) - Circuits touristiques. 2. Tourisme culturel - Québec (Province) - Montréal. 3. Tourisme et arts - Québec (Province) - Montréal. I. Titre.

FC2947.18.D44 2013   917.4'28045   C2013-940200-4

Bibliothèque et Archives nationales du Québec
Dépôt légal – Troisième trimestre 2013
ISBN 978-2-89464-599-4 (version imprimée)
ISBN 978-2-76580-294-5 (version numérique PDF)
Imprimé au Canada

sommaire

Comment utiliser ce guide?

Nous vous proposons dans les pages qui suivent 10 parcours qui mettent en lumière les différentes incarnations de la création actuelle à Montréal. Dès le début de chaque circuit, une introduction agrémentée d'un diptyque original de Denis Farley vous mettra en appétit.

Un plan détaillé indique ensuite l'itinéraire à suivre et permet de localiser les principales œuvres d'art public et les divers lieux de diffusion décrits. Ces lieux sont identifiés dans la liste attenante et catégorisés à l'aide de pictogrammes :

Arts numériques   **Arts de la scène**

Art public   **Design**

Arts visuels   **Musique**

Un tableau permet en outre de résumer l'importance relative de chaque catégorie artistique dans chacun des parcours à l'aide de l'échelle suivante :

★ ★ ★ ★ ★ Très forte concentration, notamment par la présence de plusieurs lieux/ événements importants. Secteur **majeur**.

★ ★ ★ ★ Grande concentration **ou** présence de quelques lieux/événements importants. Secteur **fort**.

★ ★ ★ Traces importantes **ou** présence d'un lieu/événement important. Secteur **notable**.

★ ★ Quelques traces **ou** présence d'un lieu/événement central. Secteur **présent**.

★ Un peu de traces. Secteur **évoqué**.

— Aucune trace. Secteur **absent**.

Ce tableau donne aussi des indications quant au temps nécessaire pour réaliser l'ensemble de l'itinéraire, à la façon de le segmenter si vous disposez de moins de temps et aux moyens de transport suggérés pour le parcourir.

À la fin de chacun des parcours, un carnet d'adresses créatif regroupe les coordonnées complètes de chaque lieu de diffusion présenté tout au long de la balade. Ce carnet comprend aussi les coordonnées de cafés, restaurants, boutiques et bars fréquentés par les artistes ou qui permettent de goûter à l'art de vivre à la montréalaise.

En fin d'ouvrage, vous retrouverez le calendrier des événements au cours desquels sont célébrées les diverses facettes de la créativité montréalaise, ainsi qu'une liste d'organismes s'étant donné comme mission de la promouvoir.

Jérôme Delgado

Jérôme Delgado a conçu les 10 parcours présentés dans le présent ouvrage, qui vous permettront de partir à la rencontre du milieu de l'art actuel à Montréal. Journaliste, Jérôme est critique d'art et de cinéma. On peut le lire régulièrement dans les pages culturelles du quotidien *Le Devoir*, ainsi que dans la revue de cinéma *Séquences*. En 2010, il a occupé la résidence « réflexion + écriture » du 3e Impérial, centre d'essai en art actuel de Granby. Diplômé en histoire de l'art de l'Université de Montréal, il est membre de l'Association québécoise de critiques de cinéma depuis 2004. Il pratique également, de manière parallèle, la traduction et compte, à ce titre, plusieurs collaborations avec des musées, des galeries et des magazines d'art.

Denis Farley

www.denisfarleyphoto.com

Plusieurs photographies de Denis Farley sont reproduites dans ce guide, dont une série de diptyques originaux présentés au début de chaque parcours. Détenteur d'une maîtrise en beaux-arts de l'Université Concordia, Denis travaille depuis les années 1980 comme artiste et photographe dans le milieu des arts visuels, du design et de l'architecture. Il expose ses œuvres, principalement photographiques, au Québec, au Canada et à l'étranger, et elles font partie de plusieurs collections publiques et privées, notamment du Musée d'art contemporain de Montréal, du Musée des beaux-arts de Montréal, du Musée canadien de la photographie contemporaine à Ottawa, du Musée de la photographie de Charleroi en Belgique et du Fonds national d'art contemporain à Paris.

ontréal à pied, à vélo, en métro. Montréal sous terre ou en plein air. Montréal à table, en boutique, au quotidien. Et pourquoi pas Montréal par les yeux, les oreilles et tous les sens? C'est un peu ça, l'objectif de ce guide : montrer la ville à travers toutes ces facettes, « ses » facettes, et sous l'effet d'expériences sensorielles, inhérentes à la création. Qu'elle soit plastique ou sonore, qu'elle se déroule sur les planches ou dans la rue, qu'elle se manifeste solide et pérenne comme du béton, ou aérienne et éphémère comme la lumière.

Montréal est une cité d'arts. Au pluriel. Capitale de la danse et du cirque. Hôte d'une longue liste de festivals, toute l'année, de l'hivernal Montréal en lumière aux innombrables rencontres de cinéphiles, en passant par la très courue fête du jazz. Domicile d'une multitude de salles de théâtre. Laboratoire reconnu pour son expertise dans le monde des technologies, du jeu vidéo aux arts numériques. Siège de quatre universités, splendides fourmilières des artistes de demain.

Son patrimoine architectural, religieux, industriel ou vernaculaire, évolue au rythme d'édifices novateurs. La ville possède sa Place

des Arts depuis des décennies, sa Maison symphonique depuis peu et, bientôt, son « vivier » de musiques nouvelles. Pour beaucoup, elle est aussi l'un des plus énergiques bassins de la scène *indie*.

Montréal est reconnue comme la plus artistique des villes canadiennes. L'habitent et s'en inspirent ceux qui écrivent, qui chantent, qui conçoivent des fringues. Ses quartiers sont parsemés de musées d'histoire ou d'art, de galeries sages ou irrévérencieuses. Ses espaces publics offrent un mélange d'œuvres acclamées et de graffitis à découvrir.

Comme dans toute grande métropole, le menu culturel de Montréal est vaste et varié. L'auteur a voulu offrir ce qu'il aimerait qu'on lui offre lorsqu'il se trouve ailleurs. Qu'on lui dise : *« Voici ce qu'il y a de mieux, voici les quartiers à visiter, voici les coins où flâner... »* Pas besoin que tout soit accessible, il faut juste savoir de quel côté se tourner.

Dix parcours sont proposés, à cheval sur plus d'un quartier. À chaque lecteur de s'en servir pour créer ses propres déambulations.

Cada gotita cuenta, murale produite par l'organisme MU en collaboration avec ONE DROP, réalisée par Julio Cesar Moreno. © Photo: MU

MILE-END, OUTREMONT, PETITE ITALIE

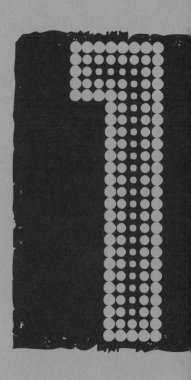

Art et vitalité
L'Atelier Circulaire et le Centre Clark.
© Denis Farley

S'il y a bien une certitude concernant le Mile-End, c'est qu'on ne s'y ennuie pas. Considéré comme le «quartier le plus artistique du Canada», ce secteur possède, en matière d'offre culturelle, une diversité à faire perdre le nord. En termes d'art actuel seulement, on y retrouve trois centres d'artistes parmi les plus réputés et l'une des galeries privées qui connaît le plus de succès. Il n'est pas rare non plus d'y croiser ceux-là mêmes qui font l'art, puisque beaucoup d'entre eux y vivent et y travaillent, s'y nourrissent et s'y abreuvent, à l'instar de la figure légendaire de la littérature anglo-montréalaise qu'est Mordecai Richler (*The Apprenticeship of Duddy Kravitz*, 1959), pour qui le Mile-End a non seulement été le quartier de son enfance, mais aussi le terreau de son œuvre.

Les secteurs d'Outremont et de la Petite Italie ont leur propre identité, mais ils demeurent teintés de l'esprit créatif du Mile-End. La proximité se paie. Le

premier garde néanmoins ses couleurs contrastantes, entre la présence d'une population francophone aisée et celle très visible d'une communauté juive hassidique. L'allure décontractée et inventive du Mile-End se fait davantage ressentir dans le quartier italien. Si ses traits d'exotisme s'affichent encore en long et large, dans l'affichage et dans les conversations attrapées au hasard des rues, la Petite Italie change depuis un certain temps et tend vers une mixité de populations similaires à celle du Mile-End. Les artistes n'y sont pas en reste.

Le jour, les galeries et centres d'artistes du Mile-End font une destination logique pour les amateurs d'art. Le soir, ce sont ses bars qui attirent une clientèle mélomane. Plus d'un festival y a pris racine, plus d'un théâtre y fait courir les foules. Ce qu'il faut surtout savoir, néanmoins, c'est qu'au détour de n'importe quelle rue il y a quelque chose pour se rincer l'œil, ou à se mettre sous la dent. Les propositions d'art public ou d'art urbain ne manquent pas, les bonnes adresses où manger et boire non plus.

Mile-End, Outremont, Petite Italie

↘ Combien de temps?

Pour l'ensemble du parcours : une journée

↘ Segments

Mile-End : 3h30
Outremont : 1h
Petite Italie : 3h

↘ Comment?

Parcours à pied
Option d'un trajet en bus (ligne 161 – Van Horne)

 Arts numériques : ★ ★ ★

 Art public : ★ ★

 Arts visuels : ★ ★ ★ ★ ★

 Arts de la scène : ★ ★

 Design : ★ ★

 Musique : ★ ★ ★ ★ ★

1	Le Jardin du crépuscule
2	Centre Clark
	Atelier Circulaire
	Diagonale
	Dazibao
	Optica
3	Le Cagibi
4	Monastiraki
5	Galerie Simon Blais
6	Bain Saint-Michel
7	*Écritures*

8	Articule
9	Cabaret du Mile-End
10	Occurrence – Espace d'art et d'essais contemporains
11	Galerie Mile-End AME-ART
12	*Lac/Fontaine*
13	Théâtre Rialto
14	Théâtre Outremont
15	Galerie d'art d'Outremont
16	*Espace vert*

17	Bigué art contemporain
18	Yves Laroche Galerie d'art
19	Lacerte art contemporain
20	L'Hémisphère gauche
21	Battat Contemporary
22	Projet Beaumont
23	Il Motore
24	Eastern Bloc
25	Espace projet, art contemporain + design

1

Le Mile-End

[foisonnement culturel, art actuel, art urbain]

➤ Le parcours débute à l'angle de la rue Saint-Urbain et de l'avenue Van Horne. (Autobus 161 à la station de métro Rosemont.)

Le Mile-End est délimité au nord par une voie ferrée. C'est en tournant le dos au train, avec la fermeture de sa gare vers 1930, qu'il s'est développé au cours du XXᵉ siècle. Or, il y en a qui ont su tirer profit de la situation quelque peu misérable des terrains en bordure de la voie. Parmi eux, l'artiste Glenn Le Mesurier, lui dont l'atelier *(135 av. Van Horne)* demeure pratiquement toujours ouvert au public.

La friche qui avoisine son nid est devenue un «parc des sculptures», «son» parc de sculptures: **Le Jardin du crépuscule (1 🖼)** *(près du 101 av. Van Horne)*. Symbole non officiel du Mile-End, cet ensemble d'œuvres, nées de l'assemblage de ferraille et de débris industriels, est l'endroit idéal pour entamer une visite du quartier.

Le Jardin du crépuscule a commencé à jaillir au tournant de l'an 2000. Galerie à ciel ouvert – les sculptures sont à vendre –, l'endroit révèle la créativité et la débrouillardise qui couvent dans le Mile-End, son côté débonnaire et bohème aussi. Mais surtout, la quinzaine d'œuvres, la plupart élaborées à la verticale, sont la parfaite démonstration qu'avec un minimum d'initiative, un endroit malfamé renferme aussi son potentiel urbain, rassembleur et accueillant. Les artistes du Mile-End ne cessent de tenir ce genre de discours. Après avoir déambulé parmi les œuvres de Glenn Le Mesurier, éloignez-vous-en: Le Jardin du crépuscule mérite aussi une vue en retrait.

➤ Marchez vers l'est et le boulevard Saint-Laurent, en longeant le viaduc, jusqu'à l'angle formé de la rue de l'Arcade et du boulevard Saint-Laurent.

Les tracés de rues surélevées ne facilitent pas seulement la circulation automobile. Ils stimulent

2

1. Murale *Dieu pourvoit* (2010) par Monk-e et murale par Zek en arrière-plan, aux abords du boulevard Saint-Laurent. © *Photo : Denis Farley*
2. Le Jardin du crépuscule de l'artiste Glenn Le Mesurier.
© *Photo : Denis Farley*

aussi la créativité. En voici un bel exemple, ici, sous la voie qui surplombe le boulevard Saint-Laurent. Une série de murales peintes à même les piliers de la structure animent cet environnement de béton et de grisaille, environnement qui a lui-même inspiré le contenu des graffitis. Exécutés de manière clandestine, certains d'entre eux n'en relèvent pas moins du souci du détail et de la maîtrise du dessin. Profitez de l'accalmie du trafic pour traverser le boulevard Saint-Laurent et observer de plus près les murales.

Il ne faut pas hésiter non plus à prendre l'escalier qui mène en haut du viaduc pour jouir d'un point de vue privilégié sur les environs et en particulier sur le bâtiment angulaire au coin nord-ouest. Ce résidu du passé industriel, toujours en fonction et connu comme l'Entrepôt Saint-Laurent ou le Van Horne Warehouse Incorporated, est remarquable pour son immense citerne posée sur le toit.

↘ *Poursuivez vers le sud, sur le boulevard Saint-Laurent jusqu'à la rue Bernard, où vous tournerez à gauche.*

Avant de tourner dans la rue Bernard, sachez qu'une visite du magasin **Style Labo** *(5765 boul. Saint-Laurent)*, mi-antiquaire, mi-boutique de décoration, peut s'avérer opportune.

Rue Bernard Est, la marche suit la frontière ferrée et donne l'occasion de frôler des résidus industriels tels que le site abandonné où s'affiche encore un « Textiles » sur son imposant panneau rouillé. Il faut préciser que la rue Bernard aboutit à l'avenue De Gaspé, autrefois « centre du vêtement » à Montréal, et c'est d'ailleurs dans un ancien pôle de l'industrie textile sur cette avenue, au n° 5455, que s'est implanté le milieu artistique dans les années 2000. En route vers cette adresse, vous passerez devant un bistro assez récent, et assez novateur, **Le Falco** *(5605 av. De Gaspé)*, où design, café siphonné et gastronomie japonaise s'arriment plutôt bien.

Le Centre Clark

[centre d'artistes, art actuel, complexe culturel]

Plutôt que de franchir la porte principale du bâtiment baptisé **Le Plaza** *(5455 av. De Gaspé)*, poursuivez pendant encore une quinzaine de mètres, jusqu'aux marches jaunes, et même un peu au-delà. Notez sur la droite, côté ouest, le bâtiment en brique couvert de graffitis. Cet ensemble «décoratif», animé de quelques sanguinaires bêtes, est symptomatique de la transformation du quartier : sous ses assises industrielles, le Mile-End offre aujourd'hui un visage tourné vers l'imaginaire.

Revenez aux marches jaunes : elles sont le signal que vous êtes devant un fleuron du modèle québécois de «centre d'artistes autogéré». Souvent cité parmi les incontournables à visiter lors d'un séjour à Montréal, le **centre Clark (2 👁)** *(5455 av. De Gaspé, local 114)* est aussi bien connu pour sa riche programmation que pour son encan de la mi-décembre, célèbre fête de fin d'année.

Né au centre-ville, dans la rue qui lui a donné son nom, le Centre Clark joue depuis plus de 20 ans un rôle de leader. Des expositions devenues références y ont été présentées, à l'instar de celle intitulée *Les Bricolos*, en 1998. Des artistes phares de la génération qui a éclos dans les années 1990, celle des David Altmejd, Nicolas Baier, Mathieu Beauséjour, Valérie Blass, parmi tant d'autres, sont passés par Clark alors qu'ils commençaient leur carrière.

En 2001, le Centre Clark innove en s'établissant dans cet immeuble de l'avenue De Gaspé, imité peu de temps après par l'**Atelier Circulaire (2 👁)**, centre spécialisé dans les arts d'impression, et par **Diagonale (2 👁)**, lieu unique consacré aux arts faisant appel aux textiles. Aujourd'hui, le bâtiment est une fourmilière d'ateliers d'artistes, fourmilière à la base de la créativité à laquelle on associe le quartier.

En 2013, deux autres centres d'artistes, parmi les plus réputés de Montréal, ont entamé leur déménagement au Plaza : **Dazibao (2 👁)**, dédié aux pratiques photographiques, à cheval entre le cinéma et l'art contemporain, et **Optica (2 👁)**, ouvert à tous les modes d'expression. Au moment de mettre sous presse, la nouvelle configuration du bâtiment n'était pas encore définitivement établie, mais il était devenu évident que l'avenue De Gaspé serait, plus que jamais, la grande artère de la créativité.

↘ *Revenez à la rue Saint-Viateur et empruntez-la jusqu'au boulevard Saint-Laurent.*

Ce secteur abonde en adresses courues et variées, entre **Le Cagibi (3 🎵)** *(5490 boul. Saint-Laurent)*, café-resto grano fort sympathique, et la bonne gastronomie asiatique du **Soy** *(5258 boul. Saint-Laurent)*, ou, côté boutiques, entre **Monastiraki (4 👁)** *(5478 boul. Saint-Laurent)*, brocante et galerie d'art, et les vêtements rétro du **Citizen Vintage** *(5330 boul. Saint-Laurent)*.

4

1. Centre Clark : Sophie Jodoin / *De peine et de misère*, 2010. © *Photo : Bettina Hoffmann*
2. Centre Clark : Pierre Bourgault / *JENESAISPASVRAIMENTOUJEVAISMAISJEMENVAIS*, 2012. © *Photo : Sébastien Lapointe*
3. Dazibao : images tirées de *mécaniques affectives*, Manon Labrecque, 2009. © *Photo : Dazibao*
4. Centre Clark : Dominique Pétrin / *POMPÉII MMXII*, 2011. © *Photo : Sébastien Lapointe*

La **Galerie Simon Blais (3 ⬛)** *(5420 boul. Saint-Laurent)*, chef de file du marché de l'art au Québec, se trouve au cœur du Mile-End. La qualité et la diversité de son offre ont fait la réputation de cette enseigne portée autant à la défense de l'art actuel que des courants historiques et même de l'art africain.

Les expositions temporaires de la Galerie Simon Blais mettent en vedette plusieurs des noms qui font l'art du Québec aujourd'hui, parmi lesquels on retrouve les peintres Marc Séguin et Françoise Sullivan, les photographes Michel Campeau et Éliane Excoffier ou les graveurs François-Xavier Marange et Catherine Farish.

Les amateurs de grands maîtres modernes gagnent aussi à fréquenter cette galerie. Son fonds de commerce regroupe des œuvres d'artistes tels que Piet Mondrian et Antoni Tapiès, et côté québécois, de Jean Paul Riopelle, Alfred Pellan ou Guido Molinari.

↘ *Empruntez la rue Maguire jusqu'à la rue Saint-Dominique.*

Depuis la fin des années 1990, le **Bain Saint-Michel (6 🎭🎪)** *(5300 rue Saint-Dominique)* est l'hôte d'une multitude d'événements artistiques, toutes scènes confondues. Dans cet ancien bain public, remarquable pour l'énorme œil-de-bœuf dans une de ses façades, on présente des pièces de la compagnie Infinithéâtre, « *the* théâtre québécois *in english* », les spectacles du décoiffant festival FRINGE, les performances de VIVA! Art action et des concerts de musique électronique et actuelle.

↘ *Poursuivez vers le sud dans la rue Saint-Dominique jusqu'à l'avenue Laurier.*

Adjacente au parc Lahaie, jadis porte d'entrée du quartier, se dresse l'**église Saint-Enfant-Jésus du Mile-End** *(5039 rue Saint-Dominique)*. Érigée au XIXe siècle,

elle est surtout réputée pour sa riche façade d'expression baroque et son décor intérieur. On la visite surtout pour les peintures autour de la coupole et dans la chapelle, exécutées entre 1917 et 1919 par Ozias Leduc, précurseur de la modernité au Québec et maître de Paul-Émile Borduas, influente figure du renouveau pictural.

↘ *Pour revenir vers le cœur du Mile-End, vous avez une alternative, soit par l'avenue Laurier, reconnue pour ses commerces huppés, soit par l'avenue Fairmount, plus au nord.*

Ceux qui veulent humer l'esprit multiculturel du quartier doivent se promener sur l'avenue Fairmount. On y trouve, presque les uns à la suite des autres, **Au papier japonais** *(24 av. Fairmount O.)*, un atelier d'origamis; **Wilensky** *(34 av. Fairmount O.)*, un restaurant polonais d'une autre époque; le **Caffè Grazie Mille** *(58 av. Fairmount O.)*, un café typiquement italien; **Fairmount Bagel** *(74 av. Fairmount O.)*, une boulangerie culte; **Barros Luco** *(5201 rue Saint-Urbain)*, pour des *empanadas* dans la pure tradition chilienne; ainsi que des marchands cachers ou halal, et même, dans la partie de la rue sise dans le quartier voisin, Outremont, le restaurant moyen-oriental de grande réputation qu'est **Rumi** *(5198 rue Hutchison)*.

À travers cette panoplie de commerces, l'avenue Fairmount possède ses petits secrets. Méconnue, y compris des Montréalais, une sculpture de l'artiste Armand Vaillancourt, **Écritures (7 ⬛)**, est accrochée à l'un des pavillons du **Collège français** *(162 av. Fairmount O.)* à l'angle de l'avenue de l'Esplanade. Un autre pavillon de cette école privée *(172 av. Fairmount O.)* arbore, quant à lui, l'architecture majestueuse d'une ancienne synagogue, défigurée, lors du changement de vocation de l'édifice dans les années 1960, par l'ajout d'une nouvelle façade.

1. Galerie Simon Blais : vue de l'exposition *La séduction de l'acrylique* de Jean McEwen, 2012. © *Photo : Guy L'Heureux, courtoisie Galerie Simon Blais*
2. Cabaret du Mile-End. © *Photo : Michel Donais*
3. Vue extérieure du centre d'artistes Articule. © *Photo : Denis Farley*

Le centre d'artistes Articule

[centre d'artistes, art actuel, hors les murs]

Leader à la fois comme diffuseur d'art actuel et organisme fédérateur de bon voisinage, le centre d'artistes **Articule (8 ◎)** *(262 av. Fairmount O.)* est facilement reconnaissable par sa façade vert lime. Il fut d'ailleurs l'un des premiers de son genre à avoir pignon sur rue. Cette présence près des gens convient fort bien à un lieu dont les programmations sont teintées, saison après saison, par l'ouverture à toutes les pratiques artistiques et à toutes les communautés.

Fondé en 1979, Articule a toujours eu son «cube blanc», cet espace-galerie traditionnel où exposer. Mais Articule n'est pas qu'un cube. Des événements hors les murs ont parsemé son histoire, comme le projet *User/Goods* en 2004, mis en place dans un magasin de l'Armée du Salut. Quant à la façade vitrée du cube, elle sert, l'été, de support aux interventions artistiques les plus diverses.

Prenez à droite, vers le nord, l'avenue du Parc.

Grande artère qui sert de frontière entre le Mile-End et Outremont, l'avenue du Parc recèle les adresses qui en font un repère culturel à Montréal. Le **Cabaret du Mile-End (9 ♫)** *(5240 av. du Parc)* en est une. Reconnue pour sa riche histoire liée à l'essor de la chanson québécoise des années 1980, cette salle de spectacle est aujourd'hui l'hôte de toutes les musiques, jazz et world incluses.

Occurrence

[centre d'artistes, art actuel, photographie]

Occurrence – Espace d'art et d'essais contemporains (10 ⊚) *(5277 av. du Parc)* est un autre centre d'artistes qui s'est établi dans le Mile-End dans les années 2000, dans la foulée du Centre Clark. Si l'endroit est connu pour favoriser la photographie, il n'est pas rare non plus d'y voir exposer des œuvres faisant appel à d'autres formes d'expressions artistiques.

Occurrence, comme beaucoup de diffuseurs en art actuel, s'alimente d'audace et non de la vente d'œuvres. La configuration particulière de son local contribue à maintenir le goût du risque qui est le sien depuis sa fondation au tournant des années 1990. Les artistes qui travaillent l'installation ou les arts sonores se sont d'ailleurs plus d'une fois inspirés de cet espace sur deux niveaux et ont disséminé des traces de leur art un peu partout. Chez Occurrence, il est fréquent que l'on doive déambuler avec un œil à l'étage et une oreille au sous-sol.

À 100 m à peine d'Occurrence, la petite **Galerie Mile-End AME-ART (11 ⊚)** *(5345 av. du Parc)* se consacre, quant à elle, exclusivement à la diffusion d'œuvres des artistes du quartier. Pas tellement plus loin, de l'autre côté de l'avenue, se trouve la **bibliothèque du Mile-End** *(5434 av. du Parc)*. Son emplacement, dans une ancienne église en bois dont on a conservé les arches autant que les vitraux, lui donne l'allure d'une sympathique oasis en milieu urbain. Et depuis 2007, la petite cour en retrait de la rue a été rehaussée d'un diptyque photographique de Denis Farley. Intitulée *Lac/Fontaine (12 ⊠)*, l'œuvre suggère les effets de fraîcheur et d'évasion propres aux plans d'eau aménagés habituellement dans les villes.

Avec sa forte concentration de cafés et de comptoirs où manger, la rue Saint-Viateur, dans sa partie située entre l'avenue du Parc et le boulevard Saint-Laurent, se présente comme la halte idéale. On y retrouve entre autres les frères ennemis que sont le **Club social** *(180 rue Saint-Viateur O.)* et le **Café Olimpico** *(124 rue Saint-Viateur O.)*, qui rivalisent à coups de *caffè latte* et de clients branchés.

⤳ *Rendez-vous à la rue Bernard par une ruelle.*

Les plus beaux exemples de graffitis se trouvent souvent dans les ruelles, ces sentiers urbains typiques de Montréal. Prenez-en une au hasard sur le trottoir nord de la rue Saint-Viateur, comme celle située en face du Club social.

La rue Bernard est une autre artère commerciale pleine de vie et de pep, rassembleuse de la diversité du Mile-End. On y trouve ainsi deux lieux emblématiques du quartier, aux antipodes l'un de l'autre : le **Dépanneur Café** *(206 rue Bernard O.)*, avec ses airs débonnaires et sa scène offerte matin et soir aux musiciens du dimanche, et le luxueux **Whisky Café** *(5800 boul. Saint-Laurent)*, doté même d'un salon de cigares. La librairie **Drawn & Quarterly** *(211 rue Bernard O.)*, quant à elle, est un haut lieu de la bande dessinée anglophone et fait partie de ces adresses qui n'ont pas besoin de pub pour se faire connaître. Le brouhaha est son principal allié.

⤳ *Revenez à l'avenue du Parc.*

Le **Théâtre Rialto (13 🎵🎬)** *(5723 av. du Parc)* est un prestigieux théâtre bâti en 1923, inspiré de l'Opéra de Paris. Imposant de l'extérieur avec sa marquise, il a subi des transformations majeures à l'intérieur au début des années 2000, malgré la farouche opposition des défenseurs du patrimoine. L'endroit a néanmoins conservé sa vocation culturelle, aujourd'hui composée de musique, de cinéma et de soirées dansantes.

⤳ *Traversez l'avenue du Parc. Vous entrez maintenant dans Outremont.*

1. Vue extérieure d'Occurrence – Espace d'art et d'essais contemporains. © Photo : Denis Farley
2. Théâtre Rialto. © Photo: Denis Farley

1

1. Théâtre Outremont.
   © Photo : Jérôme Labrecque/Théâtre Outremont
2. Avenue Bernard. © Photo : Philippe Renault

Outremont
[architecture, théâtre, art actuel]

Autrefois municipalité autonome, aujourd'hui arrondissement de Montréal, Outremont s'est développé comme la bourgade de la bourgeoisie francophone. L'avenue Bernard – notez la différence dans l'appellation de celle qu'on désigne « rue » du côté du Mile-End – est probablement son artère la plus fréquentée. On y trouve de tout, des banques prestigieuses par leur architecture, des épiceries raffinées, ainsi que des commerces de tout acabit dont deux véritables institutions, le **Lesters Déli** *(1057 av. Bernard)*, antre du *smoked meat*, et le **Bilboquet** *(1311 av. Bernard)*, la référence à Montréal en termes de glaces artisanales.

Le **Théâtre Outremont (14 🎭🎬)** *(1248 av. Bernard)* est un autre monument historique qui a survécu aux tempêtes financières. Contemporain du Rialto, l'Outremont, plus massif, a conservé l'intégrité de sa signature architecturale. Ses lignes épurées, selon le style Art déco, et son décor intérieur, fait de boiseries, de frises et de fresques, brillent encore aujourd'hui. À son menu culturel figure une grande variété d'arts : de la danse au cinéma en passant par la chanson et même le cirque.

> ↘ *Poursuivez sur l'avenue Bernard jusqu'à l'avenue Outremont. Prenez à gauche, vers le sud, et rendez-vous jusqu'à la petite avenue Saint-Just.*

Petit secret bien gardé, la **Galerie d'art d'Outremont (15 🖼)** *(41 av. Saint-Just)* n'est

pas seulement située dans une rue où l'on circule peu, elle loge aussi à la même enseigne que la bibliothèque Robert-Bourassa, qui, il faut le dire, lui fait plus d'ombrage qu'autre chose. Ce lieu de diffusion souffre aussi d'avoir été, autrefois, une obscure galerie municipale. C'était l'époque où Outremont était une ville autonome. Aujourd'hui intégrée au réseau Culture Montréal, la Galerie d'art d'Outremont bénéficie d'une plus grande antenne, mais aussi d'une programmation plus sérieuse, en cohésion avec l'art actuel diffusé ailleurs en ville.

Si le cœur (et les jambes) vous en dit, partez à la découverte de l'œuvre *Espace vert* **(16 🏞)**, située devant l'entrée du **Centre communautaire intergénérationnel d'Outremont** *(999 av. McEachran)*. Signée Roberto Pellegrinuzzi, cette photographie est l'une des plus complexes et des plus étonnantes pièces de la collection d'art public de la Ville de Montréal. *Espace vert* juxtapose plusieurs images de végétaux de différents types et âges, en référence à la mission de mixité de l'établissement. L'œuvre est un tableau vivant qui se métamorphose selon de fines modulations de lumière.

> ↘ *Pour la suite du parcours, dans la Petite Italie, il est suggéré de prendre l'autobus 161 en direction est. Descendez à l'arrêt Waverly, près du Jardin du crépuscule, et marchez jusqu'au boulevard Saint-Laurent. Au nord, de l'autre côté du viaduc, commence la Petite Italie.*

MARCHE JEAN-TALON

www.marchespublics-mtl.com

ÉRIC TANGUAY

1

La Petite Italie

[galeries, musique, artistes émergents]

La présence de l'art dans la Petite Italie est assez récente. Avec ses trattorias, ses cafés et ses autres commerces italiens, le quartier porte davantage l'étiquette de paradis pour les papilles gustatives. Aussi, le très couru marché Jean-Talon anime le secteur, surtout pendant la belle saison (mi-avril à mi-octobre), alors que l'étalage de fruits et légumes frais n'a pas son pareil en termes d'abondance. Dans la Petite Italie, le sport est l'autre attrait : pas un café qui ne possède sa télé branchée sur le soccer européen. Le temps du Grand Prix de F1, les rues deviennent rouge Ferrari, ces mêmes artères qui pouvaient, à une autre époque, se transformer en circuit de courses cyclistes.

Et l'art? Ce sont surtout des galeries privées qui l'affichent. Sur le boulevard Saint-Laurent, elles sont trois à accueillir entre autres celui qui arrive du Mile-End. Aux nᵒˢ 6341, 6345 et 6355, un immeuble résidentiel réunit les enseignes **Bigué art contemporain (17 👁)**, Lacerte art contemporain et Yves Laroche Galerie d'art. Entrer au rez-de-chaussée par l'une de ces adresses, c'est s'introduire dans un domaine où règnent les coups de pinceaux.

Yves Laroche Galerie d'art (18 👁) *(6355 boul. Saint-Laurent)* a ainsi bâti sa réputation en défendant, depuis l'époque où elle se trouvait dans le Vieux-Montréal, les peintres locaux de la marge. Le graffiti et d'autres mouvances de *street art*, le tatouage, l'illustration, la bande dessinée, voire des courants historiques plus très actuels comme le surréalisme et le pop art, ont reçu leur part d'attention dès l'ouverture de la galerie au début des années 1990.

Lacerte art contemporain (19 👁) *(6345 boul. Saint-Laurent)*, quant à elle, trouve ses origines à Québec. L'adresse de Montréal est cependant plus qu'une succursale, puisqu'elle programme ses propres expositions. On y trouve néanmoins le même intérêt marqué pour la peinture. Ces deux galeries commerçantes figurent comme des incontournables du marché de l'art, et l'immeuble qui les accueille, ouvert depuis 2010 seulement, pourrait devenir avec le temps le rendez-vous de riches collectionneurs.

Ce n'est pas seulement le glamour de la peinture qui sied au quartier. La musique underground a aussi pris ses aises. Le disquaire d'occasion **La Fin du vinyle** *(6307 boul. Saint-Laurent)* surgit d'ailleurs avant même le complexe des galeries.

1. Marché Jean-Talon. © Photo : Denis Farley
2. Yves Laroche Galerie d'art. © Photo : Yves Laroche Galerie d'art

Véritable banque de ressourcement pour tout DJ, l'endroit a aussi son identité visuelle, appuyée par les graffitis de sa devanture. **L'Hémisphère gauche (20 🎵)** *(221 rue Beaubien E.)*, « bar alternatif » réputé pour sa programmation et son houblon maison, est pour sa part un lieu fréquenté par ceux qui cherchent à découvrir la scène musicale locale. **Vices et Versa** *(6631 boul. Saint-Laurent)*, autre bar où l'underground artistique (peinture et photo, surtout) et la bière artisanale ont droit aux plus grandes attentions, peut aussi faire partie du circuit, lorsque vient le temps des sorties en soirée.

> ↘ *Pour rejoindre le cœur de la Petite Italie et le marché Jean-Talon, continuez vers le nord sur le boulevard Saint-Laurent. Par contre, pour humer l'air qui transforme depuis peu le quartier, on vous suggère de tourner à gauche dans la rue Saint-Zotique et de marcher jusqu'à la rue Saint-Urbain.*

Dans la zone circonscrite par la rue Saint-Zotique et la rue Jean-Talon, et par la rue Clark et l'avenue du Parc, cohabitent résidents, garagistes, architectes, producteurs de cinéma et autres professionnels de la culture. Le secteur regorge de créativité, comme le prouvent deux commerces pleins d'inventivité, le bar **Alexandraplatz** *(6731 av. de l'Esplanade ; fermé l'hiver)*, établi dans un hangar, et le **Dépanneur Le Pick-Up** *(7032 rue Waverly)*, à la fois mini-épicerie et casse-croûte chaleureux. Il ne faudra pas vous surprendre si votre voisin de table s'adonne à être un artiste.

Ce coin en retrait des commerces connus de la Petite Italie vous convie à le découvrir de manière instinctive, sans hésiter à emprunter les ruelles, ni à traverser les aires de stationnement. L'insolite et le banal sauront vous surprendre. C'est dans ce but qu'au début des années 2000, le collectif SYN - Atelier d'exploration urbaine avait posé une des 17 tables de pique-nique vertes de ses *Hypothèses d'amarrage*, projet destiné à humaniser des *no-man's land* de l'espace public montréalais. La table de la Petite Italie avait atterri dans un lot vacant de la rue Marconi, entre les n°s 6911 et 6919, juste au sud de la rue Mozart. Le terrain, envahi aujourd'hui par les mauvaises herbes, est barricadé, mais on peut apercevoir les restes du projet entre les interstices des planches de bois.

> ↘ *Dirigez-vous ensuite vers la rue Jean-Talon à l'angle de la rue Alexandra.*

Battat Contemporary

[galerie privée, environnement industriel, artistes rares]

Ouverte en 2009, **Battat Contemporary (21 ⊚)** *(7245 rue Alexandra)* est la première galerie marchande d'art à s'être établie si loin au nord par rapport au cœur culturel de Montréal. Elle précède même dans le secteur les galeries Lacerte et Yves Laroche.

Propriété d'un manufacturier qui a fait fortune dans l'univers du jouet, Battat Contemporary a rapidement fait parler d'elle. Aménagée dans un bâtiment situé au bout du monde, ou presque, la galerie détonne de son environnement industriel par son image soignée. Son unique salle d'exposition, de modestes dimensions sans être minuscule, possède ce qu'il faut pour attirer les artistes de renom, prisés par le marché.

La galerie mise sur des artistes peu visibles, du moins au Québec. Elle s'est éprise de plusieurs créateurs de New York, à l'instar de la peintre Allison Katz, native de Montréal, ou du sculpteur et dessinateur Stephen Talasnik. Elle a aussi réussi à faire sortir de l'oubli des artistes locaux, telle la peintre Marion Wagschal, notable figure féministe des années 1970.

↘ *Revenez à la rue Jean-Talon. Avant de poursuivre vers l'est, prenez note qu'une escapade vers l'ouest ne serait pas inopportune. Marchez dans la rue Jean-Talon jusqu'à l'avenue Querbes. Remarquez au passage l'ancienne gare Jean-Talon, imposante par ses colonnes en façade. Bâtie par la compagnie ferroviaire Canadien Pacifique en 1931, elle abrite aujourd'hui la station de métro Parc. À partir de*

Yves Laroche Projet Beaumont : Jason Botkin, *ALL KIN*, présenté/réalisé par LNDMRK 2013. © *Photo : André Bathalon*

là jusqu'au prochain point d'intérêt, comptez une dizaine de minutes de marche. Rendez-vous à l'avenue Beaumont en empruntant l'avenue Querbes vers le sud. Notez enfin que cette partie de la rue Jean-Talon, entre l'avenue du Parc et le boulevard de l'Acadie, abonde en adresses de cuisine du monde, notamment de cuisine indienne.

La galerie Yves Laroche s'est dotée d'une antenne hors circuit, dans l'ombre de manufactures, de garages et d'une voie ferrée. Le **Projet Beaumont (22 ⬤)** *(550 av. Beaumont)* héberge depuis l'automne 2012 les initiatives artistiques les plus excentriques, dignes du meilleur que Montréal possède en art urbain. Les expositions, en collaboration avec le collectif LNDMRK, constituent des événements festifs et courus, malgré l'isolement de l'espace. Il faut dire que les monumentales interventions murales qui y sont privilégiées ont de quoi impressionner.

⬎ *Une fois de retour à la rue Jean-Talon, marchez vers l'est pour vous retrouver encore à la hauteur de la rue Alexandra.*

Il Motore (23 ♫) *(179 rue Jean-Talon O.)* est un autre lieu culturel qui a su s'approprier l'univers industriel du secteur. Il est, en tout cas, le plus surprenant des lieux dévoués à la musique: sa salle de 250 places est née de la transformation d'un garage. L'endroit ne paie pas de mine, mais sa programmation a de quoi épater. Il Motore a été imaginé par les mêmes individus qui chapeautent la Sala Rossa et la Casa Del Popolo, deux lieux incontournables du circuit de la musique indépendante à Montréal, situés sur le Plateau-Mont-Royal. Un gage de qualité, il va de soi.

⬎ *À l'angle de la rue Clark, prenez à gauche, vers le nord.*

1. Eastern Bloc : projection Kandis Friesen. © Photo : J. Guzzo Desforges

Eastern Bloc

[arts médiatiques, artistes émergents, ateliers-rencontres]

Dernier lieu de dernier cri, et non le moindre puisqu'il est le premier diffuseur culturel à avoir élu domicile en 2007 dans ce coin de la ville, le centre **Eastern Bloc (24 ▦)** *(7240 rue Clark)* défend les arts numériques et les jeunes créateurs.

Il se niche au deuxième étage d'un bâtiment anonyme, à la façade banale, mais c'est là que circulent les idées et se créent les expériences les plus audacieuses. Le public y a accès grâce à un programme d'expositions et à une série d'ateliers-rencontres avec les artistes, baptisés *Salon : Data*.

Eastern Bloc n'est pas qu'un lieu de plus qui produit et diffuse les arts numériques. Il est le seul, dans cette branche de la création ouverte et sans définition fixe, à défendre avec autant de cohérence les artistes de la relève, ceux qui en sont à leurs cinq premières années de carrière. Il n'y a pas mieux comme lieu phare de l'art de demain.

> ◤ *Pour un aperçu du quartier Villeray, qui commence à s'ouvrir à l'art actuel, on vous suggère de poursuivre sur le boulevard Saint-Laurent, vers le nord, jusqu'au parc Jarry.*

Le parc Jarry, immense aire verte connue pour abriter le centre sportif où se jouent les championnats internationaux de tennis, a été parmi les premiers sites à bénéficier d'une nouvelle politique municipale en matière d'art public, au début des années 1990. L'œuvre *Caesura* (angle boulevard Saint-Laurent et rue Gounod), de Linda Covit, est une sculpture monumentale... à voir de près. Au pied de ses très hautes parois de métal, le sol se parsème en effet de jouets de guerre coulés en bronze. Impossible de le deviner de loin. Œuvre pacifiste, *Caesura* a été dédiée à l'activiste politique birmane Aung San Suu Kyi, lauréate du prix Nobel de la paix en 1991, prix qu'elle a pu recevoir à Oslo en 2012 après avoir été libérée de sa résidence surveillée.

> ◤ *Revenez à la rue Villeray.*

La rue Villeray abonde de petits commerces de quartier, mais aussi de quelques adresses qui attirent désormais les gens à l'affût de nouvelles ambiances. Le très coloré bar **Miss Villeray** *(220 rue Villeray)*, avec son enseigne lumineuse rescapée d'une autre époque, fait partie de ces lieux à la mode. **Espace projet, art contemporain + design (25 ◉)** *(353 rue Villeray)*, une galerie hors catégorie, ni centre d'artistes ni commerce, se trouve aussi sur cette artère nouvellement branchée. Jeunes artistes y exposent, et c'est un peu avec ce type de vitrine, faite avec goût mais sans compromis pour la facilité, que le quartier est appelé à se transformer.

> ◤ *De la rue Saint-Denis, vous êtes à mi-chemin de deux bouches de métro de la ligne orange, les stations Jean-Talon et Jarry.*

Carnet d'adresses créatif

👁 Arts visuels

Articule
mer-jeu 12h à 18h, ven 12h à 21h, sam-dim 12h à 17h; 262 av. Fairmount O., 514-842-9686, www.articule.org

Atelier Circulaire
mer-sam 12h à 17h; 5445 av. De Gaspé, espace 101, 514-272-8874, www.atelier-circulaire.qc.ca

Atelier de Glenn Le Mesurier
135 av. Van Horne

Battat Contemporary
mar-ven 12h à 18h, sam 12h à 17h; 7245 rue Alexandra, 514-750-9566, http://battatcontemporary.com

Bigué art contemporain
mar-ven 11h à 19h, sam 11h à 17h; 6341 boul. Saint-Laurent, 514-508-4099, www.galeriebac.com

Centre Clark
mar-sam 12h à 17h; 5455 av. De Gaspé, local 114, 514-288-4972, www.clarkplaza.org

Dazibao
5455 av. De Gaspé, espace 903, 514-845-0063, www.dazibao-photo.org

Diagonale
mer-sam 12h à 17h; 5455 av. De Gaspé, espace 203, 514-524-6645, www.artdiagonale.org

Espace Projet, art contemporain + design
mer-ven 12h à 18h, sam-dim 12h à 17h; 353 rue Villeray, 514-388-3512, espace-projet.blogspot.ca

Galerie d'art d'Outremont
mar-ven 13h à 18h, sam-dim 13h à 17h; 41 av. Saint-Just, 514-495-7419, www.galeriedartdoutremont.ca

Galerie Mile-End AME-ART
mer-ven 12h à 18h, sam-dim 12h à 17h; 5345 av. du Parc, 514-271-3383, www.ame-art.com

Galerie Simon Blais
mer-sam 11h à 17h; 5420 boul. Saint-Laurent, 514-849-1165, www.galeriesimonblais.com

Lacerte art contemporain
mar-ven 11h à 19h, sam 11h à 17h; 6345 boul. Saint-Laurent, 514-274-4299, www.galerielacerte.com

Monastiraki
mer 12h à 18h, jeu-ven 12h à 20h, sam-dim 12h à 17h; 5478 boul. Saint-Laurent, 514-278-4879, monastiraki.blogspot.ca/

Occurrence – Espace d'art et d'essais contemporains
mar-sam 12h à 17h; 5277 av. du Parc, 514-397-0236, www.occurrence.ca

Optica
5445-5455 av. De Gaspé, 514-874-1666, www.optica.ca

Projet Beaumont / LNDMRK
lun-ven 11h à 18h; 550 av. Beaumont, 514-603-9311

Yves Laroche Galerie d'art
mar, jeu, ven et dim 10h à 18h, sam 11h à 17h; 6355 boul. Saint-Laurent, 514-393-1999, www.yveslaroche.com

⁞⁞ Arts numériques

Eastern Bloc
mar-dim 12h à 17h; 7240 rue Clark, 2e étage, 514-284-2106, www.easternbloc.ca

Arts de la scène

Bain Saint-Michel
5300 rue Saint-Dominique, 514-761-0565

Musique

Cabaret du Mile-End
5240 av. du Parc, 514-563-1395, www.lemileend.org

Le Cagibi
5490 boul. Saint-Laurent, 514 509-1199,
www.lecagibi.ca/fr

L'Hémisphère gauche
221 rue Beaubien E., 514 278-6693,
www.hemispheregauche.com

Il Motore
179 rue Jean-Talon O., 514-284-0122, www.ilmotore.ca

Théâtre Outremont
1248 av. Bernard, 514-495-9944,
www.theatreoutremont.ca

Théâtre Rialto
5723 av. du Parc, 514-770-7773, www.theatrerialto.ca

Bars, cafés, commerces

Alexandraplatz, bar, 6731 av. de l'Esplanade, Petite Italie

Atelier B, boutique, 5758 boul. Saint-Laurent, Mile-End

Au papier japonais, boutique-atelier, 24 av. Fairmount O., Mile-End

Barros Luco, restaurant, 5201 rue Saint-Urbain, Mile-End

Le Bilboquet, glacier, 1311 av. Bernard, Outremont

Café Italia, 6840 boul. Saint-Laurent, Petite Italie

Café Olimpico, 124 rue Saint-Viateur O., Mile-End

Caffè Grazie Mille, 58 av. Fairmount O., Mile-End

Citizen Vintage, boutique, 5330 boul. Saint-Laurent, Mile-End

Club social, café, 180 rue Saint-Viateur O., Mile-End

Le Dépanneur Café, café-resto, 206 rue Bernard O., Mile-End

Le Dépanneur Le Pick Up, resto-épicerie, 7032 rue Waverly, Petite Italie

Fairmount Bagel, boulangerie, 74 av. Fairmount O., Mile-End

Le Falco, café-bistro, 5605 av. De Gaspé, Mile-End

La Fin du vinyle, disquaire, 6307 boul. Saint-Laurent, Petite Italie

Lesters Déli, restaurant, 1057 av. Bernard, Outremont

Marché Jean-Talon, entre l'avenue Casgrain et l'avenue Henri-Julien, et entre la rue Jean-Talon et la rue Mozart, Petite Italie

Milano, épicerie, 6862 boul. Saint-Laurent, Petite Italie

Miss Villeray, bar, 220 rue Villeray, Villeray

Pizzeria Napoletana, 189 rue Dante, Petite Italie

Quincaillerie Dante, 6851 rue Saint Dominique, Petite Italie

Rumi, restaurant, 5198 rue Hutchison, Outremont

Soy, restaurant, 5258 boul. Saint-Laurent, Mile-End

Style Labo, boutique, 5765 boul. Saint-Laurent, Mile-End

Tapeo Bar, restaurant, 511 rue Villeray, Villeray

Vice et Versa, bistro, 6631 boul. Saint-Laurent, Petite Italie

Whisky Café, bar et salon de cigares, 5800 boul. Saint-Laurent, Mile-End

Wilensky, casse-croûte, 34 av. Fairmount O., Mile-End

PLATEAU-MONT-ROYAL

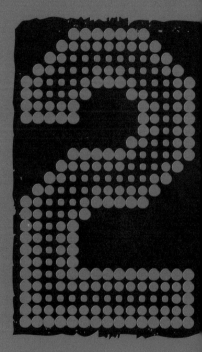

Vie de quartier
Les rues colorées (murale *La Migration*, 2010, par Monk-e) et les bons cafés.
© Denis Farley

L'identité culturelle du Plateau-Mont-Royal s'est en grande partie bâtie au milieu du XXe siècle. C'est l'époque d'un quartier populaire, celui décrit dans la littérature de Michel Tremblay (*Les Belles-Sœurs, La grosse femme d'à côté est enceinte*), le célèbre romancier et dramaturge québécois né dans le secteur. Mais c'est aussi celui qui a vu naître le mouvement automatiste, qui a ébranlé la pratique de la peinture au Québec. Aujourd'hui, des artistes de tous les univers y résident. Il n'est pas rare d'y croiser une vedette de la scène ou de l'écran.

Ce parcours propose de traverser le quartier comme s'il s'agissait de scinder un pain en plusieurs tranches. Il est fait de multiples va-et-vient, qui permettent

néanmoins d'avancer, en zigzag. Dans un premier temps, le circuit consistera à emprunter les rues est-ouest. Dans la seconde partie, le sens de la marche sera plutôt du nord vers le sud.

Peu importe le segment que vous choisissez, si vous optez pour n'en suivre qu'un, vous ne vous perdrez pas. Le Plateau-Mont-Royal culturel est à ce point touffu qu'il y a peu de temps morts. Dans le quartier, on recense cinq des théâtres les plus réputés en ville, d'autres plus modestes, plusieurs galeries de renom, des salles de spectacle à n'en plus finir, certaines des meilleures propositions d'art public et un nombre incalculable de bouquineries et de disquaires.

2

Plateau-Mont-Royal

↘ Combien de temps ?

Pour l'ensemble du parcours : 5h30

↘ Segments

Partie est (du parc Jehane-Benoît au Conservatoire d'art dramatique) : 3h30

Partie ouest (de la Casa Del Popolo au *Malheureux magnifique*) : 2h

↘ Comment ?

Parcours à pied

 Arts numériques : ★ ★ ★

 Art public : ★ ★ ★

👁 **Arts visuels : ★ ★ ★**

 Arts de la scène : ★ ★ ★ ★ ★

 Design : ★

 Musique : ★ ★ ★ ★

1	*Machine consciente*	14	O Patro Výš	28	Sala Rossa
2	Agora de la danse	15	Quai des brumes	29	Théâtre ESPACE GO
3	*Neuf couleurs au vent*	16	L'Esco	30	Galerie Espace
4	Parc La Fontaine	17	*Tango de Montréal*	31	Club Lambi
5	*Les Leçons singulières*	18	*Comme un poisson dans la ville*	32	La Centrale Galerie Powerhouse
6	Théâtre d'Aujourd'hui *Les Enjeux*	19	Maison de la culture du Plateau-Mont-Royal	33	Divan Orange
7	Galerie Bernard	20	La Licorne	34	Excentris
8	Oboro	21	La Tulipe	35	MainLine Theatre
9	Studio XX	22	Galerie Crystal Racine	36	Théâtre La Chapelle
10	Inspecteur Épingle	23	L'Illusion	37	Théâtre de Quat'Sous
11	Graff	24	Théâtre du Rideau Vert	38	Usine 106U
12	Église Saint-Jean-Baptiste	25	Les conteurs	39	*L'homme est un roseau pensant II*
13	L'Endroit indiqué	26	*Laboratoire-échantillon*	40	*Le Malheureux magnifique*
		27	Casa Del Popolo		

L'Agora de la danse

[danse contemporaine, architecture, créativité]

↘ *Début du parcours à la sortie ouest de la station de métro Sherbrooke, à l'angle des rues Berri et de Malines.*

On se trouve ici à l'ombre de l'Institut de tourisme et d'hôtellerie du Québec, établissement reconnu, entre autres, pour former des chefs cuistots, les artistes de la cuisine. Le **parc Jehane-Benoît**, notre point de départ, se nomme ainsi en hommage à la «pionnière de l'enseignement culinaire au Québec». Or, comme hommage, on a déjà vu mieux. Le parc ne paie pas de mine. Il s'agit davantage d'une aire verte, avec banc public, sans plus. Même que la paroi de la maison qui le juxtapose a longtemps eu une peinture murale défraîchie et sans intérêt. Depuis 2011, cependant, elle a cédé sa place à une nouvelle œuvre, signée Rafael Sottolichio, un artiste connu pour ses tableaux qui décrivent des lieux oniriques. Celle que vous avez devant vous, **Machine consciente (1 🖼)**, évoque à la fois un décor de théâtre et un chantier urbain. Elle a été réalisée sous l'initiative de MU, un groupe préoccupé de l'embellissement de l'espace urbain. Plusieurs autres exemples menés par l'organisme ponctueront le parcours.

La rue Cherrier, que borde le parc Jehane-Benoît à l'angle de la rue Berri, possède un autre type d'intervention murale, un peu à l'ouest, à l'angle de la rue Saint-Denis. La façade nord du **Café Cherrier** *(3635 rue Saint-Denis)* sert depuis plusieurs années à exposer, sur de longues périodes, des œuvres sur panneau. C'est le centre Dazibao, spécialisé dans les différents courants photographiques, qui gère aujourd'hui cet espace inusité. N'oubliez pas d'y jeter un coup d'œil.

↘ *Marchez vers l'est dans la rue Cherrier jusqu'au parc La Fontaine.*

L'**Agora de la danse (2 🖼)** *(840 rue Cherrier)* s'impose avec son bâtiment cubique de style Beaux-Arts, à la façade en briques rouges, en pierres grises et agrémentée de quelques ornements. Érigé entre 1914 et 1919, l'endroit a été conçu pour accueillir des activités sportives. Il s'agissait d'une palestre, dotée, entre autres, d'un gymnase, d'une piscine et même d'une salle de quilles. Dans les années 1970, l'Université du Québec à Montréal en a fait son pavillon des sports. Lors de la fondation, au tournant des années 1990, de l'organisme qu'est l'Agora de la danse, on procède à un aménagement majeur du lieu, mais respectueux de son décor intérieur, pour tenir compte de la nouvelle vocation.

La réussite de la transformation a été soulignée en 1991 d'un prix de l'Ordre des architectes du Québec et d'un des prix Orange de Sauvons Montréal. Depuis, ses salles de diffusion ont contribué à faire de Montréal la capitale mondiale de la discipline. Hélène Blackburn, Danièle Desnoyers, Paul-André Fortier et José Navas sont parmi les nombreuses figures de la danse qui s'y sont produits. Force de la création en danse contemporaine depuis plus de 30 ans, **Tangente** a été le premier lieu de

1. *Machine consciente*, murale produite par l'organisme MU et réalisée par Rafael Sottolichio.
© *Photo : Philippe Thomas*
2. David Tomas, *Untitled (Study for* Live rightly, die, die...*)*, 2012. Panneau situé sur la façade
du Café Cherrier. Production de Dazibao. © *Photo : Philippe Thomas*
3. Agora de la danse : Anne Plamondon / *Les mêmes yeux que toi*. © *Photo : Michael Slobodian*

diffusion au Québec consacré exclusivement à cette discipline. Longtemps hébergé à l'Agora de la danse, le centre fondé par un collectif d'artistes pilote aujourd'hui le projet visant à doter le Quartier des spectacles d'une «Maison de la danse». Le complexe, qui verrait le jour en 2015 ou peu après, devrait réunir aussi les Grands Ballets canadiens et l'École de danse contemporaine de Montréal dans l'édifice historique Wilder *(1435-1459 rue De Bleury)*. En attendant, Tangente poursuit une vie de nomade et diffuse un peu partout, notamment au Monument-National.

De l'autre côté de la rue se trouve une des plus remarquables «haltes cyclistes» à Montréal. Le bâtiment, déjà, possède son attrait avec une tourelle d'angle munie de deux balcons. Au rez-de-chaussée, sinon, la boutique de vélos **Le Grand Cycle** *(901 rue Cherrier E.)* se distingue de tous ses semblables par son service espresso. Un café pendant que le mécano répare votre bécane devant vous, ça vous dit?

Chaque cycliste devrait rêver de faire une crevaison dans ce coin. Prenez garde d'ailleurs en traversant la rue Cherrier; la piste cyclable qui y a été aménagée, une des plus vieilles du réseau montréalais, est une des plus populaires. Elle joue à merveille le rôle de jonction entre le Plateau-Mont-Royal et le Quartier latin.

Arrivé devant le parc La Fontaine, dans la rue du même nom, jetez un coup d'œil sur la droite, vers le sud. Vous y apercevrez une série de grands fanions colorés. Il s'agit d'une œuvre du Français Daniel Buren, intitulée **Neuf couleurs au vent (3 🔳)**. Réalisée sur commande du Centre international d'art contemporain, elle a été placée là en 1996, lors de la dernière édition des Cent jours d'art contemporain, l'ancêtre de la Biennale de Montréal. Depuis, la Ville de Montréal en a fait l'acquisition et a fait le nécessaire pour la préserver et pouvoir l'y laisser en permanence, y compris l'hiver.

Le parcours ne propose pas d'entrer dans ce grand espace vert montréalais qu'est le **parc La Fontaine (4 🔳🔳)**. Veuillez noter cependant qu'on y retrouve plusieurs sites culturels, entre des aires de spectacle, comme le **Théâtre de Verdure**, magnifique salle à ciel ouvert, et des sculptures de type monument – certains de style moderne (**Obélisque en hommage à Charles De Gaulle**, d'Olivier Debré), d'autres propres au courant statuaire précédent (**Debout. Monument à Félix Leclerc**, de Roger Langevin).

↘ *Marchez vers le nord en longeant le parc La Fontaine jusqu'au belvédère face à la rue Roy.*

1. Le volet du parc La Fontaine de l'œuvre *Les Leçons singulières*, de Michel Goulet. © Photo : Philippe Thomas
2. Théâtre d'Aujourd'hui : *Belles-Sœurs théâtre musical* avec Marie-Thérèse Fortin, Guylaine Tremblay, Maude Guérin, Christiane Proulx, Suzanne Lemoine, Dominique Quesnel, Hélène Major, Kathleen Fortin, Michelle Labonté, Monique Richard, Sylvie Ferlatte, Maude Laperrière, Marie-Evelyne Baribeau, Janine Sutto et Édith Arvisais.
© Photo : Valérie Remise

1

Les Leçons singulières (volets I et II)
[art public, belvédère, lieu de passage]

Prêt pour quelques leçons? Ne craignez rien. Il n'y a rien de moralisateur ni de didactique dans celles que vous vous apprêtez à «vivre». Elles sont même tout indiquées pour vous : «singulières», dit son intitulé. ***Les Leçons singulières* (5 ⚫)** (1990-1991), œuvres publiques en deux volets dont le n° «II» *(face à la rue Roy)* a le regard tourné vers le parc La Fontaine, appellent à la contemplation, à la méditation. Une activité, vous en conviendrez, qui s'expérimente surtout avec soi-même.

Les Leçons singulières sont deux ensembles de sculptures de Michel Goulet, maître ès art public, du moins un des plus réputés en la matière au Québec. Ces deux ensembles, distants l'un de l'autre de 200 m, sont emblématiques de son travail. On y retrouve son motif de prédilection, la chaise domestique – s'il existe le bleu Klein, on devrait aussi pouvoir parler de la chaise Goulet–, ainsi que de multiples associations entre divers objets du quotidien, coulés dans le bronze.

Le volet au parc La Fontaine colle à la fonction «point d'observation» qui incombe à un belvédère. L'artiste invite doublement à voir le site, d'abord dans une reproduction en relief posée sur une table en bronze, puis «en vrai», à partir d'une des six chaises en laiton, alignées en demi-lune. Chacune d'elles, avec son objet associé à une activité de parc, insiste sur le caractère ludique et individuel de la leçon.

L'autre volet, le premier à avoir été réalisé, est situé à la place Roy *(angles des rues Roy et Saint-André)* et joue davantage de métaphores. Le désordre relatif des chaises, et l'absence de sièges pour certaines d'entre elles, le rend plus rythmé et plus difficile à saisir d'un seul regard. Il faut dire que l'emplacement est un lieu de passage, de circulation. On va et vient, on voyage constamment et cette idée prend forme sur une autre table, qui avait fonction de fontaine à l'origine, où les lignes en relief reproduisent la carte du monde.

Les Leçons singulières I ont toute une histoire. Elles sont la toute première œuvre de la nouvelle politique en art public de la Ville de Montréal, inaugurée en 1989 avec le concours pour la place Roy. L'installation de Michel Goulet est cependant devenue célèbre après une polémique très médiatisée. Non seulement la Ville, accusait-on, gaspillait les fonds publics, elle avait choisi un mobilier sur lequel les gens ne pouvaient s'asseoir. Or, l'idée était de favoriser la circulation des passants. L'œuvre, qui a aussi été victime de vandalisme à la fin des années 1990, offre aujourd'hui quelques sièges où s'asseoir.

↘ *Continuez par la rue Roy jusqu'à la rue Saint-Denis, que vous emprunterez vers le nord.*

Théâtre d'Aujourd'hui

[dramaturgie québécoise, créativité, art public]

Dans la très populaire et ensoleillée rue Saint-Denis, parmi les boutiques de mode et les bistros sympas, le promeneur ne peut manquer l'immense marquise du **Théâtre d'Aujourd'hui (6 🞄)** *(3900 rue Saint-Denis)* qui s'étire pratiquement jusqu'aux voitures stationnées. L'endroit se fait un honneur de défendre la dramaturgie québécoise. Il dispose de deux salles, l'une de près de 300 sièges, l'autre plus expérimentale et petite (75 places), et d'un bar fort animé les soirs de représentations.

Son nom l'indique : l'accent est mis sur les nouveaux textes. Tant les auteurs de renommée mondiale – Michel-Marc Bouchard (*Les Muses orphelines*), Larry Tremblay (*The Dragonfly of Chicoutimi*) et Wajdi Mouawad (*Incendies*) –, que leurs émules plus jeunes – Étienne Lepage, Sarah Berthiaume ou Olivier Keimed – ont pu y créer des œuvres acclamées par la critique et le public.

Prenez le temps d'observer la façade. À gauche de la marquise, remarquez-vous… Eh oui, des chaises en acier, éventrées au niveau du siège. Eh oui, il s'agit d'une autre œuvre de Michel Goulet : *Les Enjeux* **(6 🞄)** (1991), réalisée dans le cadre du programme d'intégration des arts à l'architecture

entremêle l'espace de l'imaginaire, la scène, et celui de l'écoute, de l'auditoire.

La **Galerie Bernard (7 👁)** *(3926 rue Saint-Denis)* n'a peut-être pas de marquise, ni d'œuvre publique, mais avec ses trois étages, elle ne passe pas inaperçue. Située à quatre portes du Théâtre d'Aujourd'hui, elle est une chic caverne d'art, incrustée dans le fascinant alignement architecturale de cette artère au cœur du Plateau.

↘ *À l'avenue Duluth, tournez à droite et marchez jusqu'à la rue Berri.*

Gardez l'œil ouvert : entre la Galerie Bernard et la rue Berri, les surprises ne manquent pas. Vous croiserez un commerçant féru d'art – **Georges Laoun Opticien** *(4012 rue Saint-Denis)* a même son calendrier d'expositions –, une ruelle verte bien garnie en graffitis – «la ruelle de la Bolduc» *(trottoir nord de l'avenue Duluth, entre les rues Rivard et Berri)* –, des disques vinyles sur des murs – **Musique-Disque Sonik** *(4050 rue Berri)* – ou un dépanneur spécialisé en produits de microbrasseries *(418 av. Duluth E.)*. L'inventivité s'exprime sous de multiples formes.

1. Devant l'entrée des centres d'art Oboro et Studio XX. © Photo : Denis Farley
2. Inspecteur Épingle : prestation de Matt Track. © Photo : Mathieu Boudrias
3. *Music for the eyes*, Rolf Julius, 1982, lors de l'exposition *Distance* présentée à OBORO, commissaire : Nicole Gingras. © Photo : Annie Tremblay, 2009

Oboro
[nouveaux médias, art actuel, laboratoire]

L'entrée du 4001, rue Berri, est conforme à l'esprit des environs. Elle est marquée, sur sa dernière marche, de sa petite curiosité, un détail à la fois signalétique et purement décoratif : un cœur formé de coquillages. C'est ici, au troisième étage, que se trouve **Oboro (8 ▦)** *(espace 301)*, un centre réputé pour sa créativité et sa philosophie à la défense du bien-être collectif.

Spécialisé en arts numériques, doté même d'un « laboratoire nouveaux médias » à la fine pointe de la technologie, Oboro prône l'idée que l'on s'améliore, comme être humain, par l'accointance des arts. Un peu à la manière de la figure mythologique à l'origine de son nom, l'Ouroboros, qui ne cesse de se renouveler.

On ne visite pas Oboro comme une simple galerie. Ses bureaux ouverts, sa grande table et son coffre à jouets en font un endroit convivial et rassembleur. Ses salles d'exposition, bien que très axées sur les projets nouveaux médias, demeurent accessibles à tous les artistes, peu importe les pratiques.

Le 4001, rue Berri renferme son lot d'occupants culturels, compagnies de théâtre, regroupements associatifs ou diffuseurs. Dans cette dernière catégorie, outre Oboro, le **Studio XX (9 ▦)** *(espace 201)*, un centre féministe faisant, lui aussi, dans les arts numériques. Sa programmation n'est cependant pas sa seule activité. Studio XX possède aussi sa revue en ligne, *.dpi*, une émission de radio anglophone (*XX files* à CKUT 90,3 FM), un laboratoire informatique, un centre de formation en technologies numériques et un recueil d'archives imagées et documentaires sur Internet (*Matricules*). Ici, les femmes demeurent parmi les plus branchées.

➽ *Le circuit se poursuit sur l'avenue Duluth, toujours vers l'est, et propose de déambuler jusque dans les environs du parc La Fontaine.*

L'avenue Duluth est depuis longtemps fréquentée pour ses restaurants « apportez votre vin », mais aussi pour ses lieux plus gastronomiques. Ces deux modèles se font presque face avec **Le Jardin de Panos** *(521 av. Duluth E.)*, doté d'une des plus animées terrasses en ville, et **Au Pied de cochon** *(536 av. Duluth E.)*, adresse raffinée et recherchée pour son ambiance décontractée – et sa poutine au foie gras.

À l'angle de la rue Saint-Hubert, l'**Inspecteur Épingle (10 ▯)** *(4051 rue Saint-Hubert)*, taverne légendaire du quartier, offre sa scène aux artistes locaux. Le décor des lieux, à la fois exubérant et simple, est propice aux rencontres les plus diversifiées, d'un soir à l'autre.

Ceux qui aiment compiler des données historiques seront heureux de savoir que le mouvement automatiste, courant pictural des années 1940 qui a mené le Québec vers la modernité, est en partie né à l'angle des rues Napoléon et Mentana, au sud de l'avenue Duluth. C'est là que résidait jusqu'en 1945 Paul-Émile Borduas, le chef de file de ce mouvement et auteur de l'essai phare *Refus global* (1948). La **maison du peintre** *(953 rue Napoléon)*, dont la façade se reproduit dans l'un de ses derniers tableaux figuratifs (*Matin de printemps*, 1937), et **son atelier** *(3940 rue Mentana)* se faisaient face. Les premières réunions avec les futurs automatistes ont eu lieu là.

Notez qu'un peu plus au nord-ouest se trouvait « l'atelier de la ruelle » *(4343 rue Saint-Hubert, angle rue Marie-Anne)*, où trois jeunes automatistes, Jean Paul Riopelle, Marcel Barbeau et Jean-Paul Mousseau, ont fait leurs premières expériences.

➽ *Par la rue Mentana, rendez-vous à la rue Rachel.*

La rue Rachel s'anime aussi sous ce même souffle artistique. Elle est surtout connue aujourd'hui comme vertèbre cycliste – elle relie le parc La Fontaine au mont Royal –, et ceux qui pédalent trouvent dans la **Maison des cyclistes** *(1251 rue Rachel E.)* une foule de ressources utiles.

Atelier et Galerie Graff

[gravure, art actuel, ateliers]

Graff (11 ⊚) *(963 rue Rachel E.)* est une appellation pratiquement gravée sur l'asphalte du Plateau-Mont-Royal, correspondant à une enseigne vieille de plus de 40 ans. À la fois lieu de diffusion et de production, galerie au rez-de-chaussée, ateliers à l'étage, Graff a une double identité.

Autonomes administrativement, les deux entités se fondent néanmoins sur la seule et même base, celle du dévouement pour la gravure d'un de ses fondateurs, Pierre Ayot. Graff, c'est probablement le plus grand héritage légué par l'artiste décédé dans la jeune cinquantaine, en 1995. L'endroit a vu le jour un peu plus au nord, rue Marie-Anne, mais s'est véritablement développé dans ce local de la rue Rachel. La Galerie Graff est par ailleurs toujours dirigée par Madeleine Forcier, la compagne d'Ayot.

Une grande fenêtre donnant sur la rue, ainsi qu'une petite cour intérieure, donnent à Graff un cachet unique. Difficile pour le passant de ne pas y jeter un coup d'œil. Malgré sa longue histoire, la galerie n'est ni caduque ni vintage. Si elle demeure associée à des artistes apparus dans les années 1970 (Ayot, Cozic, Serge Tousignant ou Robert Wolfe), elle a aussi ouvert ses portes à des pratiques plus jeunes, comme celles de Gwenaël Bélanger et de Raphaëlle de Groot. Graff est pleine de vie, à l'image du commerce voisin **La Banquise** *(994 rue Rachel E.)*, lieu culte en poutines, ouvert 24 heures sur 24.

> ↘ *Empruntez la rue Rachel vers l'ouest, avec la vue sur le mont Royal.*

La rue Rachel fourmille de commerces uniques. L'épicerie santé **Rachelle-Béry** *(505 rue Rachel E.)*, aujourd'hui petite chaîne avalée par un plus gros, possède encore son premier local, à l'angle de la rue Berri. On retrouve aussi la boutique **Kanuk** *(485 rue Rachel Est)*, fabricant québécois de manteaux d'hiver pour lequel les personnalités artistiques prêtent avec plaisir leur image. Pour la halte bouffe, ou pause cappuccino, le meilleur endroit demeure **La Maison des pâtes fraîches** *(865 rue Rachel E.)*. Ce *negozio italiano* est aussi lié à un triste moment depuis que son plus célèbre client

et voisin, Dédé Fortin, le chanteur et leader des Colocs, groupe musical phare des années 1990, s'est enlevé la vie dans l'appartement au-dessus. Notez également que la librairie **Ulysse** *(4176 rue Saint-Denis)*, avec son imposant inventaire de guides de voyage, est située rue Saint-Denis, tout juste au sud de la rue Rachel.

À l'ouest de la rue Saint-Denis, la rue Rachel possède aussi ses attraits. On y trouve l'imposante **église Saint-Jean-Baptiste (12 🎵)** *(309 rue Rachel E.)*, animée depuis des décennies par une vaste programmation musicale, et pas seulement à connotation religieuse. Plus loin, la **Casa Tapas** *(266 rue Rachel E.)* est un des premiers endroits, dans les années 1990, à avoir bénéficié, et contribué, à la remise au goût de ces plats de type amuse-gueules. Notez, sur un des murs extérieurs de ce resto espagnol, l'immense murale reproduisant un «cartel» caractéristique de la tauromachie. Cette fausse affiche fonctionne comme publicité (pour la Casa Tapas) et comme enseigne culturelle.

> ↘ *Ici, les rues dans l'axe nord-sud respirent le calme du quartier résidentiel. Empruntez l'avenue Laval vers le nord.*

L'Endroit indiqué (13 ⊚) *(230 rue Marie-Anne E., angle av. Laval)*, ou «galerie Marie-Anne», n'est pas tout à fait une galerie. Tout indiqué qu'il soit, il n'en a pas l'apparence. Il s'agit d'une résidence d'architectes – les associés de l'Atelier Big City. Il occupe néanmoins un emplacement idéal, au coin exact de la rue, et cette position angulaire fait son charme. Les murs de cette pseudo-galerie, ce sont ses fenêtres et on n'a pas besoin d'y entrer pour observer les œuvres. L'Endroit indiqué se visite de la rue.

> ↘ *Reprenez vers l'est puis le nord, en vue de vous retrouver au croisement de deux artères emblématiques, l'avenue du Mont-Royal et la rue Saint-Denis.*

O Patro Výš (14 🎵) *(356 av. du Mont-Royal E.)*, petite salle multifonctionnelle axée sur la musique populaire et expérimentale, et son alter ego en forme

Galerie Graff : Hugo Bergeron, 2012, *La Chute*, acrylique/
toile, 168 x 122cm. © *Photo : Galerie Graff, Montréal*

de bar, **Bílý Kůň** *(354 av. du Mont-Royal E.)*, portent leur identité slave avec succès. Le second («cheval blanc» en tchèque), avec ses têtes d'autruches en guise de décor, a d'abord été apprécié de la faune nocturne. Puis, les propriétaires ont ouvert celui qui se nomme en tchèque «au niveau supérieur». Destiné à «diffuser et promouvoir les créations artistiques locales issues de milieux diversifiés», O Patro Výš possède aujourd'hui un calendrier fort empli qui fait sa réputation.

Sur ce petit bout de l'avenue du Mont-Royal, pratiquement chaque adresse a son cachet. On y retrouve **La Boîte Noire** *(376 av. du Mont-Royal E.)*, un des premiers, et derniers, clubs vidéo axés sur le cinéma d'auteur, et plusieurs restaurants populaires, du mythique **La Binerie** *(367 av. du Mont-Royal E.)*, fleuron québécois de la cuisine de nos grands-mères et sujet du roman *Le Matou* d'Yves Beauchemin, aux *diners* qui se font la concurrence jour et nuit, le **Rapido** *(4494 rue Saint-Denis)* et le **Fameux** *(4500 rue Saint-Denis)*.

De l'autre côté de la rue Saint-Denis, le **Quai des brumes (15 ♫)** *(4481 rue Saint-Denis)* et **L'Esco (16 ♫)**, autrefois L'Escogriffe *(4467 rue Saint-Denis)*, animent les soirées des environs depuis de nombreuses années. Le premier est une véritable institution de la chanson, un précieux port

Sela y ont tenu des spectacles mémorables. Le second est considéré comme un antre du rock musclé, un lieu où qualité rime avec énergie.

Après la chanson et le rock, le tango? En poésie, en tout cas. Et en plein air. L'esplanade de la station de métro Mont-Royal, connue comme **place Gérald-Godin**, du nom du poète-politicien qui a résidé dans le quartier jusqu'à sa mort en 1994, est surplombée d'un texte de son cru. Les vers de ***Tango de Montréal* (17 )**, hommage bien senti aux populations immigrantes, sont reproduits en lettres encastrées sur un mur avoisinant la station.

Les mots sont bien présents dans ce secteur du Plateau. Face à la station de métro se trouve la bibliothèque du quartier et plus à l'est, dans la rue Saint-Hubert, les passants pourraient être interpellés par un autre exemple d'art public littéraire. Sur le mur d'un des bâtiments du **Sanctuaire du Saint-Sacrement** *(500 av. du Mont-Royal E.)*, l'artiste Gilbert Boyer a placé l'une des nombreuses plaques de sa série ***Comme un poisson dans la ville* (18 ▨)** (1988). À l'origine, l'ensemble offrait un véritable parcours urbain. Aujourd'hui, il en reste quelques plaques dont celle-ci, qui fait de Montréal une cité-soleil.

2

1. La terrasse arrière de L'Esco. © *Photo : François Bouchard*
2. L'événement Nuit blanche sur tableau noir, sur l'avenue du Mont-Royal. © *Photo : Julien Lebreton*

Maison de la culture du Plateau-Mont-Royal
[art actuel, multidisciplinaire, littérature]

Annexée à la bibliothèque du quartier, la **maison de la culture du Plateau-Mont-Royal (19 📷) (465 av. du Mont-Royal E.)** est une des plus actives du réseau Accès Culture de la Ville de Montréal. Ses deux salles, malléables comme un gant qu'on retourne, diffusent une programmation très diversifiée (théâtre, cinéma, concerts).

Son calendrier d'expositions, quant à lui, reflète la bonne santé de l'art contemporain. Dans son petit format, sa galerie est propice à montrer des pratiques intimistes, que ce soit par la peinture, la photographie, l'estampe ou le dessin.

La version plus grande de ses espaces permet à cette maison de la culture de faire partie de manifestations attendues, tel Le Mois de la Photo à Montréal, ou alors d'accueillir des expos thématiques de grande envergure. À travers les années ont pris place ici le défunt événement Les Ateliers s'exposent, l'expo *Réingénierie du monde*, inspirée du jeu Risk, ou encore celle intitulée *Odyssée d'Espace*, qui célébrait en 2012 les 25 ans de la revue *Espace sculpture*.

L'avenue du Mont-Royal, sur toute sa longueur – de la rue Jeanne-Mance à la rue D'Iberville, une

distance de près de 3 km –, est un formidable temple marchand. La diversité des commerces en fait aussi un des lieux les plus rassembleurs. Les bouquineries et disquaires d'occasion ne manquent d'ailleurs pas, surtout à l'est de la station de métro, où l'on retrouve, notamment, le plus célèbre d'entre eux, **L'Échange** *(713 av. du Mont-Royal E.).*

Le mélange art et commerce trouve son zénith sur l'avenue du Mont-Royal, le temps de la foire commerciale de juin, une immense vente de trottoir de plusieurs jours pour laquelle on ferme la rue à la circulation automobile. L'événement destiné à célébrer l'arrivée imminente de l'été est désormais indissociable de son activité inaugurale, **Nuit blanche sur tableau noir**. Des artistes sont invités à créer une immense fresque collective directement sur le sol, au milieu de la rue. Pas besoin d'être un noctambule pour apprécier ce déferlement de peinture sur le bitume. Il s'y trouve encore le lendemain, et le surlendemain... Si la pluie ne s'y est pas invitée.

↘ *Empruntez l'avenue du Mont-Royal jusqu'à l'avenue Papineau, où vous tournerez à gauche.*

1. Le bar du théâtre La Licorne.
   © Photo : Steve Montpetit
2. *Les conteurs*, murale produite par l'organisme MU et réalisée par Richard Morin, 2011. © Photo : MU
3. La façade du théâtre La Licorne.
   © Photo : Steve Montpetit
4. Théâtre du Rideau Vert, *2012 revue et corrigée*.
   © Photo : Jean-François Hamelin

La Licorne

[dramaturgie québécoise, intimité, café-théâtre]

À l'origine un café-théâtre, **La Licorne (20 🎭)** *(4559 av. Papineau)* est aujourd'hui un ardent défenseur du théâtre contemporain, à la fois québécois et étranger, en particulier le britannique et l'irlandais. Sa réputation n'est plus à faire; elle a même pris de l'ampleur si l'on se fie à l'agrandissement qui l'a transformé en 2011.

Maison de la compagnie La Manufacture, La Licorne s'est bâti une image de proximité avec son public. Les plus fidèles spectateurs appréciaient même la deuxième scène, baptisée «la petite Licorne». La «nouvelle» Licorne n'a pas perdu son identité: avec des capacités comme à l'époque, ses salles respirent la même ambiance d'intimité. Il y a bien un quatrième mur entre acteurs et auditoire, mais il est si ténu...

Situé en face de La Licorne, **La Tulipe (21 🎵)** *(4530 av. Papineau)* occupe un bâtiment historique, érigé en 1913. S'il appartient à l'histoire de Montréal, c'est parce qu'il est devenu dans

les années 1960, sous la gouverne de l'acteur comique Gilles Latulippe, la référence du burlesque et des variétés. C'était l'époque dorée du Théâtre des Variétés. Rebaptisée en 2004, cette salle de spectacle a gardé néanmoins des traces de son passé, dans son décor intérieur notamment, qui rappelle son identité de cabaret.

↘ *Le parcours se poursuit par la rue Gilford, plus au nord, que vous emprunterez vers l'ouest, en direction de la rue Saint-Denis. À la rue Saint-Hubert, tournez à gauche, puis à la rue De Bienville, à droite. La rue Saint-Denis est au bout.*

Tout au long de cette promenade, vous croiserez quelques restos de quartier dont le très bon café **Le Couteau / The Knife** *(4627 rue Saint-Denis)*, une petite galerie commerciale – **Galerie Crystal Racine (22 👁)** *(1701 rue Gilford)*, une boutique spécialisée en boutons – **Rix Rax** *(801 rue Gilford)* – et un théâtre de marionnettes – **L'Illusion (23 🎭)** *(783 rue De Bienville)* –, parmi d'autres curiosités.

4

Théâtre du Rideau Vert

[dramaturgie québécoise, pionnier, féminisme]

Fondé en 1948, le **Théâtre du Rideau Vert (24 📷)** *(4664 rue Saint-Denis)* est «le plus ancien théâtre professionnel francophone en Amérique du Nord». En partie itinérante à ses débuts, la compagnie emménage à son emplacement actuel dans les années 1960. Il figure encore parmi les incontournables de la dramaturgie québécoise.

Longtemps porté par un duo de femmes, Yvette Brind'Amour et Mercedes Palomino, le Rideau Vert a une histoire riche et unique, ne serait-ce que par ses couleurs féminines, et féministes°avant la lettre. C'est ici qu'auront été créées des pièces qui donnaient enfin voix à des personnages féminins, telles les œuvres aujourd'hui fétiches au répertoire francophone comme *Les Belles-Sœurs*, de Michel Tremblay, et *La Sagouine*, d'Antonine Maillet.

Plus au nord se trouve l'**École nationale de théâtre** *(5030 rue Saint-Denis)*, dont un des murs extérieurs, sur l'avenue Laurier à l'angle de la rue Drolet, arbore une des plus récentes peintures de l'organisme MU, *Les conteurs* **(25 🎨)**, œuvre de Richard Morin.

↘ *Du Théâtre du Rideau Vert, prenez la rue Villeneuve vers l'ouest.*

Autre établissement d'enseignement dans le secteur, le **Conservatoire d'art dramatique de Montréal** *(4750 av. Henri-Julien)* possède aussi son œuvre publique depuis peu. Il s'agit cette fois d'une sculpture, intitulée ***Laboratoire-échantillon*** **(26 🎨)**, réalisée par Marie-France Brière.

↘ *Rendez-vous au boulevard Saint-Laurent, qu'on vous propose de parcourir du boulevard Saint-Joseph, aux limites du Mile-End, jusqu'aux abords du centre-ville, rue Sherbrooke. En arrivant au boulevard Saint-Laurent, marchez vers le nord jusqu'à rejoindre presque l'autre coin.*

1

Casa Del Popolo et Sala Rossa

[musique, underground, artistes émergents]

Deux lieux influents de la musique indépendante et de la culture underground se trouvent presque face à face. Depuis l'an 2000, la **Casa Del Popolo (27 ♫)** – «maison du peuple» en italien – *(4873 boul. Saint-Laurent)* attire les jeunes foules. Son décor rustique en fait un lieu hors du temps, son café équitable lui donne sa conscience sociale. Sa programmation musicale est une des plus éclectiques, à l'instar de toute son identité, un mélange d'art, de bonne bouffe, de *zines* et de *spoken word*.

Personne ne sait exactement, quant à l'autre établissement, la **Sala Rossa (28 ♫)** *(4848 boul. Saint-Laurent)*, s'il s'agit d'une salle rouge d'esprit italien (Sala Rossa) ou d'une salle rose à saveur espagnole (Sala Rosa), tellement les deux orthographes circulent. La confusion vient

du fait que ses propriétaires sont les mêmes que la Casa Del Popolo et que la salle de spectacle est située au-dessus d'un des plus courus restaurants espagnols en ville. Toutes ces considérations linguistiques cependant importent peu quand vient le temps de s'éclater sous la musique et les soirées déjantées.

La Casa Del Popolo et la Sala Rossa s'unissent le temps du plus rassembleur des festivals, **Suoni Per Il Popolo** *(juin)*. Il vise à libérer les oreilles à travers un programme qui inclut autant les dernières découvertes de la scène musicale montréalaise que les grands noms de la musique actuelle, du jazz, du rock underground, du *noise* et de la musique électronique.

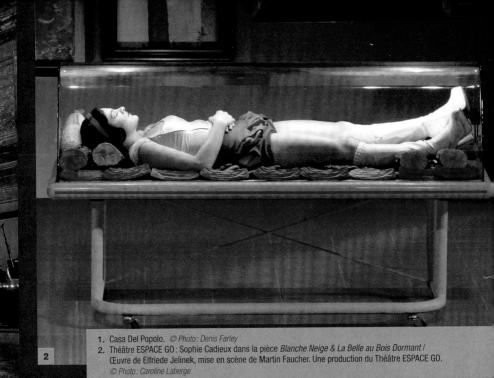

1. Casa Del Popolo. © Photo : Denis Farley
2. Théâtre ESPACE GO : Sophie Cadieux dans la pièce *Blanche Neige & La Belle au Bois Dormant /*
Œuvre de Elfriede Jelinek, mise en scène de Martin Faucher. Une production du Théâtre ESPACE GO.
© Photo : Caroline Laberge

2

Théâtre ESPACE GO

[dramaturgie féministe, expérimental, art public]

Dans un environnement non-conformiste et bohème, intercalé entre la Casa Del Popolo et la Sala Rossa, se dresse une véritable institution culturelle. Le **Théâtre ESPACE GO (29 🛡)** *(4890 boul. Saint-Laurent)* est une des scènes les plus notoires du théâtre québécois, une autre parmi les nombreuses à avoir pris racine dans le Plateau.

Théâtre trentenaire, l'ESPACE GO est né sous une forme plus contestataire que docile, issue de la mouvance féministe des années 1970. Baptisé Théâtre expérimental des femmes, le groupe met en scène des textes des Nicole Brossard, Anne-Marie Alonzo et Pol Pelletier, figures de l'écriture féministe. Aujourd'hui, l'endroit est ouvert à tous les genres, et des hommes de théâtre révélés dans les années 1980 et 1990 y ont été associés

un jour ou l'autre, tels que Claude Poissant et René-Richard Cyr.

Après ses petites salles marginales du Vieux-Montréal et de la rue Clark, l'ESPACE GO s'est établi ici, sur le boulevard Saint-Laurent, en 1995. Le bâtiment, primé par l'Ordre des architectes, s'abreuve à la même source de la création et de l'expérimentation. Sa devanture en est d'ailleurs sa meilleure carte de visite. Le programme *En façade* invite régulièrement un artiste à intervenir directement sur les vitres.

Aussi, depuis 2011, l'entrée de garage du théâtre est submergée de l'art expansif, inspiré du graffiti, du collectif En masse. Intégrés à un environnement sans intérêt, voire inquiétant, les dessins en noir et blanc invitent pourtant à s'y

1

promener, à adopter, pour ainsi dire, une ligne de conduite presque interdite. L'œuvre **Quai des arts** est issue de l'organisme MU, destiné à rehausser certains espaces urbains.

À partir d'ici, le boulevard Saint-Laurent abonde en diversité de lieux. On ne le surnomme pas pour rien la *Main* («principale» en anglais). On y croise autant la galerie d'art avec pignon sur rue, mais quelque peu marginale – la **Galerie Espace (30 👁)** *(4844 boul. Saint-Laurent)* –, que la salle de spectacle reconnue pour défendre tous les genres musicaux, mais presque invisible – **Club Lambi (31 🎵)** *(4465 boul. Saint-Laurent)*. En termes d'adresses où (se) dépenser, la variété est aussi au rendez-vous. Elle vous fera passer de la quincaillerie de quartier, une des dernières en notre époque de grandes surfaces – **Quincaillerie Filo** *(4634 boul. Saint-Laurent)* – au bar dansant pour lequel, même lors de soirées à -15°C, on n'hésite pas à faire la file – **Belmont sur le Boulevard** *(4483 boul. Saint-Laurent)*.

Les trottoirs des deux côtés de la rue recèlent, comme des secrets bien gardés, des pans de l'histoire de Montréal. Portez attention aux entrées des bâtiments : le collectif d'artistes Action terroriste socialement acceptable (ATSA) y a posé un peu partout dans ce long segment de la *Main* une série de panneaux riches en archives et en témoignages. Le projet **Frag sur la Main** (2004) se découvre au hasard des allées et venues.

2

1. *Quai des arts*, murale produite par l'organisme MU et réalisée par le collectif En Masse au Théâtre ESPACE GO. © *Photo : Denis Farley*
2. Divan Orange : spectacle du groupe An Albatross. © *Photo : Yannick Grandmont*
3. La Centrale Galerie Powerhouse : *AFTER IMAGE / AFTER LANGUAGE à la mémoire d'Elsa Stansfield*, Madelon Hooykaas/Elsa Stansfield et Chantal duPont. © *Photo : Roxanne Arsenault*

La Centrale Galerie Powerhouse
[féminisme, art actuel, hétéroclite]

Seul centre d'artistes résolument féministe, avec le Studio XX, **La Centrale Galerie Powerhouse (32 👁)** *(4296 boul. Saint-Laurent)* est l'un des plus vieux centres autogérés du Québec. Fondé en 1973, il s'est doté, pour son 30e anniversaire, d'une place, disons-le, centrale et d'une magnifique devanture en s'établissant ici, sur une des principales artères de la ville.

Son emplacement, La Centrale l'exploite à merveille. À chaque vente de trottoir estivale pour laquelle la rue devient piétonne, l'événement Boom-Chix-A-Boom et sa programmation hétéroclite électrisent le boulevard Saint-Laurent. Ses fenêtres, peu importe la saison, peuvent, elles, diffuser l'art directement dans les yeux des passants.

Féministe dans l'âme, La Centrale couvre large. Il offre une vitrine aux arts des femmes, oui, mais aussi à des groupes sous-représentés. Il favorise ainsi des pratiques portées par les discours féministes, les théories de genre, la diversité culturelle et la transdisciplinarité.

Avec ses 700 spectacles par année, le **Divan Orange (33 🎵)** *(4234 boul. Saint-Laurent)* s'est bâti une solide réputation en peu de temps. Ce «laboratoire musical» n'existe que depuis 2004, mais accumule déjà les lauriers qui en font une des meilleures salles en Amérique du Nord. Différents festivals y trouvent d'ailleurs leur compte, notamment **Suoni Per Il Popolo** *(juin)*, **Pop Montréal** *(septembre)* et **Coup de cœur francophone** *(novembre)*. Aussi bien dire qu'au Divan orange, il y a toujours événement.

Revoilà la rue Rachel! Axe important, vous en conviendrez. Et les vélos ne cessent d'affluer en direction ou en provenance du mont Royal. Les piétons aussi, preuve que nous sommes presque au pied de la butte. Pour ceux que l'arrière-scène de la création intéresse, on vous suggère une escapade en direction de la montagne, jusqu'au parc Jeanne-Mance, rue de l'Esplanade.

Vous y trouverez, à l'angle des deux rues, le nid du sculpteur Armand Vaillancourt, vénérable artiste québécois, réputé pour son œuvre engagée des années 1960 et 1970 et pour... sa grande gueule. L'homme, à plus de 80 ans, est toujours actif. Sa demeure? Facile à reconnaître: c'est celle dont la cour est remplie de matériaux lourds et d'objets les plus divers.

Le reste de la marche sur le boulevard Saint-Laurent, jusqu'à la rue Sherbrooke, vous fera passer devant plusieurs lieux fétiches. On y retrouve ainsi un des derniers résidus d'une industrie aujourd'hui presque disparue, les salles de films pornos. Toujours actif, et remarquable par ses lettres rouges sur fond jaune, le **Cinéma L'Amour** *(4015 boul. Saint-Laurent)* survit en proposant, entre autres, l'«entrée gratuite pour couples».

À l'autre bout du spectre, et de la marche suggérée, se trouve **Excentris (34 ◉)** *(3536 boul. Saint-Laurent)*, complexe de trois salles dédié au cinéma d'auteur. L'allure soignée et high-tech du bâtiment ne trompe pas: l'histoire d'Excentris est toute récente. Inauguré à la fin des années 1990, il cache cependant un passé antérieur, enraciné dans ce Montréal qui diffusait à contre-courant autre chose que du cinéma pop-corn. C'est en son sein qu'a été relocalisé le Cinéma Parallèle, une référence pour les cinéphiles qui l'ont d'abord fréquenté un peu plus au nord, au nº 3682 (aujourd'hui un café, **A Gogo Lounge**). Malgré sa jeune histoire faite de hauts et de bas, et la vente de pop-corn aujourd'hui intégrée, Excentris demeure un incontournable du cinéma d'auteur, comme en fait foi son association avec le **Festival du nouveau cinéma** *(octobre)*. Entre ces deux pôles de cinéma et d'histoire(s), le promeneur a le loisir de s'arrêter au **Laïka** *(4040 boul. Saint-Laurent)*, un des premiers cafés-bars rythmés dans les années 1990 par les tables tournantes d'un DJ, puis dans les années 2000 par le cliquetis des ordinateurs portables attirés par la connexion Wi-Fi. Le Laïka a aussi une identité

culturelle forte du fait qu'il se trouve au rez-de-chaussée du «4060», l'adresse d'une tour connue pour abriter son lot d'ateliers. Où croyez-vous que les artistes prennent leur pause-café?

Les restos abondent dans ce secteur: le **Santropol** *(3990 rue Saint-Urbain)*, référence en cuisine végétarienne et en terrasses fleuries, se trouve à une rue de distance; **Coco Rico** *(3907 boul. Saint-Laurent)* est un bon choix pour du poulet BBQ, à déguster debout; chez **Schwartz's** *(3895 boul. Saint-Laurent)*, vous ferez la file pour un bain de tradition et pour le classique des classiques en termes de *smoked meat*; le très italien **Euro-Deli** *(3619 boul. Saint-Laurent)* demeure, quant à lui, l'idéal pour un arrêt rapide, entre deux séances de cinéma.

Le **MainLine Theatre (35 ▣)** *(3997 boul. Saint-Laurent)* et le **Théâtre La Chapelle (36 ▣)** *(3700 rue Saint-Dominique)* se trouvent à l'intérieur de ce bassin de culture et de tradition, cœur du Montréal multiethnique. Chacun à sa manière cherche à le renouveler, à le distordre quelque peu. Le premier est la maison mère du festival **FRINGE** *(juin)*; le second, d'un vaste programme multidisciplinaire. Hors des normes et aux limites des définitions courantes, le MainLine Theatre et le Théâtre La Chapelle ouvrent leurs scènes à une pléiade de créateurs de tous horizons. On y présente du théâtre, oui, mais pas que ça.

Le Théâtre La Chapelle est voisine, de quelque pas, de la rue Prince-Arthur, la seule artère piétonnière de Montréal 365 jours par année. À voir le nombre de locaux vacants, l'endroit vit loin de son époque dorée où elle attirait les férus de restos «apportez votre vin». Il reste néanmoins là quelques attraits rescapés du passé, comme le **Vol de nuit** *(14 rue Prince-Arthur E.)*, un bar qui affiche en ses murs des vers de Claude Péloquin, poète québécois à la verve enflammée, ou le **Café Campus** *(57 rue Prince-Arthur E.)*. Ce dernier, fétiche salle de spectacle et de soirées dansantes à l'époque où elle avoisinait l'Université de Montréal, dans le quartier Côte-des-Neiges, demeure un antre musical.

↘ *De la rue Prince-Arthur, dirigez-vous vers le nord par l'avenue Coloniale jusqu'à l'avenue des Pins.*

Théâtre La Chapelle : *Silicone Diaries* / Nina Arsenault.
© Photo : David Hawe

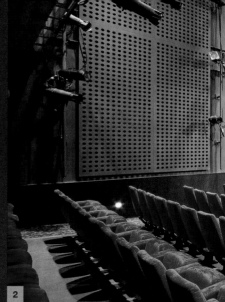

Théâtre de Quat'Sous

[dramaturgie québécoise, nouveauté architecturale, créativité]

Jadis petite salle qui a vu naître les Robert Charlebois et Yvon Deschamps – avec le spectacle théâtral et musical *L'Osstidcho* –, le **Théâtre de Quat'Sous (37 ☺) (100 av. des Pins E.)** jouit aujourd'hui d'un bâtiment qui se démarque par sa hauteur et par les multiples volumes qui se détachent de sa partie centrale. Les limites d'hier qui faisaient son charme ont été remplacées par une salle plus confortable et conforme.

Rénové aux besoins du jour en 2011, l'endroit demeure un phare de l'art dramatique, rôle qu'il tient depuis les années 1960. Fondé par un groupe d'acteurs qui lui a choisi cette ancienne synagogue comme résidence, le Quat'Sous a vu, sur ses planches, défiler d'illustres personnages, parmi lesquels ceux imaginés par Robert Lepage ou Wajdi Mouawad.

L'**Usine 106U (38 ☺) (160 rue Roy E.)**, petite galerie qui cultive l'anarchie et la totale liberté créatrice, se trouve à deux rues du Quat'Sous. On s'y rend pour le plaisir des yeux – mais attention, il en faut plus que deux tellement il y a de choses sur les murs! – et pour le bonheur d'acquérir une

œuvre sans avoir à vendre sa chemise. Le bistro voisin, **Else's** *(156 rue Roy E.)*, avec son décor et son mobilier disparates, permet de rester dans le même univers bohème et convivial.

⬎ *Marchez vers l'est jusqu'à l'avenue Laval. Tournez à droite et rendez-vous au Carré Saint-Louis.*

⬎ *Vous croiserez notamment la maison où habita Émile Nelligan (3686 av. Laval).*

Le **Carré Saint-Louis** *(entre l'avenue Laval et la rue Saint-Denis)* est une oasis de verdure et d'apaisement, haut lieu de la bourgeoisie d'antan. Il respire aussi la création: Émile Nelligan, poète honni de son vivant, le fréquentait et un buste en son honneur a été placé là. D'autres sculptures s'y trouvent aussi, dont des exemples qui s'éloignent de la tradition du monument, deux œuvres en fonte signées Armand Vaillancourt.

Le secteur offre un petit concentré d'art public, notamment en raison de deux œuvres très distinctes placées à quelques pas l'une de l'autre dans la rue Saint-Denis. Devant l'**Institut de tourisme et**

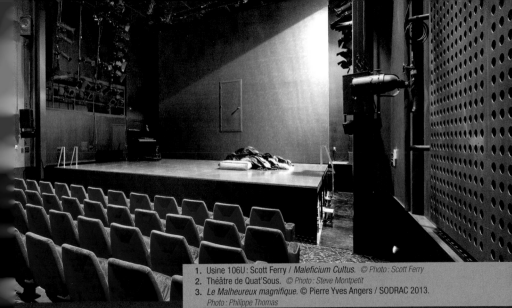

1. Usine 106U : Scott Ferry / *Maleficium Cultus*. © Photo : Scott Ferry
2. Théâtre de Quat'Sous. © Photo : Steve Montpetit
3. *Le Malheureux magnifique.* © Pierre Yves Angers / SODRAC 2013.
   Photo : Philippe Thomas

3

d'hôtellerie du Québec *(3535 rue Saint-Denis)*, l'œuvre **L'homme est un roseau pensant II (39 🔲)** (d'après une citation de Pascal; 2004), de Jacek Jarnuszkiewicz, se démarque d'abord par la verticalité de ses quatre éléments en acier. Ils reproduisent des brins d'herbe, une manière très subtile d'évoquer les objectifs de l'établissement d'enseignement et son attachement au territoire. À noter que l'œuvre fait partie d'une série de trois, dont l'une se trouve à la sortie de la station de métro Cartier, à Laval.

Bordant un édifice municipal à l'angle de la rue Sherbrooke *(385 rue Sherbrooke E.)*, **Le Malheureux magnifique (40 🔲)** (1972), de Pierre-Yves Angers, s'impose, lui, par sa masse à forme humaine. Sa pose recroquevillée, la tête entre les jambes, fait du personnage surdimensionné une des cibles préférées des caméras. À vous de trouver l'approche de son malheur...

Quant à votre bonheur, s'il ne tient qu'aux livres, sachez que vous serez amplement rassasié en visitant **La Librairie du Square** *(3453 rue Saint-Denis)*. Vous ferez du coup un bon geste : cette enseigne indépendante est une des dernières dans son genre, de celles pour qui vendre la littérature n'est pas un négoce à profit.

Carnet d'adresses créatif

👁 Arts visuels

Galerie Bernard
mer 11h à 18h, jeu-ven 11h à 19h, sam 11h à 17h;
3926 rue Saint-Denis, 514-277-0770,
galeriebernard.ca

Galerie Crystal Racine
heures d'ouverture variables; 1701 rue Gilford,
514-284-2347, www.galeriecrystalracine.com

Galerie Espace
heures d'ouverture variables; 4844 boul. Saint-Laurent,
514-284-6720, www.galerie-espace.ca

Galerie Graff
mer-ven 11h à 17h30, sam 12h à 17h; 963 rue Rachel
E., 514-526-2616, www.graff.ca

La Centrale Galerie Powerhouse
mer 12h à 18h, jeu-ven 12h à 21h, sam-dim 12h à
17h; 4296 boul. Saint-Laurent, 514-871-0268,
www.lacentrale.org

L'Endroit indiqué
205 rue Marie-Anne E., www.marie-anne.ca

Maison de la culture du Plateau-Mont-Royal
mar-jeu 13h à 19h, ven-dim 13h à 17h; 465 av. du
Mont-Royal E., 514-872-2266, www.accesculture.com

Usine 106U
lun-mer 12h à 18h, jeu-ven 12h à 21h, sam-dim 12h à
18h; 160 rue Roy E., 514-728-9349,
www.usine106u.com

⠿ Arts numériques

Oboro
mar-sam 12h à 17h; 4001 rue Berri, espace 301,
514-844-3250, oboro.net

Studio XX
mar-ven 10h à 17h; 4001 rue Berri, espace 201,
514-845-7934, www.studioxx.org

Arts de la scène

Agora de la danse
840 rue Cherrier, 514-525-1500, www.agoradanse.com

L'Illusion, théâtre de marionnettes
783 rue De Bienville, 514-523-1303,
www.illusiontheatre.com

MainLine Theatre
3997 boul. Saint-Laurent, 514-849-3378,
www.mainlinetheatre.ca

Théâtre d'Aujourd'hui
3900 rue Saint-Denis, 514-282-3900,
www.theatredaujourdhui.qc.ca

Théâtre de Quat'Sous
100 av. des Pins E., 514-845-7277, www.quatsous.com

Théâtre du Rideau Vert
4664 rue Saint-Denis, 514-845-0267,
www.rideauvert.qc.ca

Théâtre ESPACE GO
4890 boul. Saint-Laurent, 514-845-4890,
www.espacego.com

Théâtre La Chapelle
3700 rue Saint-Dominique, 514-843-7738,
www.lachapelle.org

Théâtre La Licorne
4559 av. Papineau, 514-523-2246,
www.theatrelalicorne.com

 # Musique

Casa Del Popolo
4873 boul. Saint-Laurent, 514-284-3804,
www.casadelpopolo.com

Club Lambi
4465 boul. Saint-Laurent, 514-583-5098,
www.clublambi.com

Divan Orange
4234 boul. Saint-Laurent, 514-840-9090,
www.divanorange.org

L'Esco
4467 rue Saint-Denis, 514-842-7244,
www.lescobar.com

Inspecteur Épingle
4051 rue Saint-Hubert, 514-598-7765

O Patro Výš
356 av. du Mont-Royal E., 514-845-3855,
opatrovys.tumblr.com

Quai des brumes
4481 rue Saint-Denis, 514-499-0467,
www.quaidesbrumes.ca

Sala Rossa
4848 boul. Saint-Laurent, 514-284-0122,
www.casadelpopolo.com

La Tulipe
4530 av. Papineau, 514-529-5000, www.latulipe.ca

Bars, cafés, commerces

A Gogo Lounge, café, 3682 boul. Saint-Laurent

Association Échecs et Maths, boutique et club, 3423 rue Saint-Denis

Au coin Duluth, dépanneur, 418 av. Duluth E.

Au Pied de cochon, restaurant, 536 av. Duluth E.

La Banquise, restaurant, 994 rue Rachel E.

Beautys, restaurant, 93 av. du Mont-Royal O.

Belmont sur le Boulevard, discothèque, 4483 boul. Saint-Laurent

Bílý Kůň, bar, 354 av. du Mont-Royal E.

La Binerie, restaurant, 367 av. du Mont-Royal E.

La Boîte Noire, club vidéo, 376 av. du Mont-Royal E.

Café Campus, discothèque, 57 rue Prince-Arthur E.

Café Cherrier, resto-café, 3635 rue Saint-Denis

Casa Tapas, restaurant, 266 rue Rachel E.

Cinéma L'Amour, 4015 boul. Saint-Laurent

Coco Rico, restaurant, 3907 boul. Saint-Laurent

Le Couteau / The Knife, café, 4627 rue Saint-Denis

L'Échange, bouquinerie, 713 av. du Mont-Royal E.

Else's, bistro, 160 rue Roy E.

Euro-Deli, restaurant, 3619 boul. Saint-Laurent

Excentris, cinéma, 3536 boul. Saint-Laurent

Fameux, restaurant, 4500 rue Saint-Denis

Georges Laoun, opticien, 4012 rue Saint-Denis

Le Grand Cycle, boutique et atelier vélo, 901 rue Cherrier E.

Le Jardin de Panos, restaurant, 521 av. Duluth E.

Kanuk, boutique, 485 rue Rachel E.

Laïka, bistro, 4040 boul. Saint-Laurent

La Librairie du Square, 3453 rue Saint-Denis

Librairie Gallimard, 3700 boul. Saint-Laurent

Librairie Henri-Julien, bouquinerie, 4800 rue Henri-Julien

La Maison des pâtes fraîches, comptoir bouffe et épicerie fine, 865 rue Rachel E.

Maison des cyclistes, boutique, 1251 rue Rachel E.

Musique-Disque Sonik, disquaire, 4050 rue Berri

L'Oblique, disquaire, 4333 rue Rivard

Le Petit Bar, 3451 rue Saint-Denis

Petite cuillère, café, 3603 rue Saint-Denis

Quincaillerie Filo, 4634 boul. Saint-Laurent

Rachelle-Béry, épicerie santé, 505 rue Rachel E.

Rapido, restaurant, 4494 rue Saint-Denis

Rix Rax, boutique de boutons, 801 rue Gilford

Santropol, restaurant, 3990 rue Saint-Urbain

Schwartz's, restaurant, 3895 boul. Saint-Laurent

Ulysse, librairie de voyage, 4176 rue Saint-Denis

Vol de nuit, bar, 14 rue Prince-Arthur E.

MILTON-PARC, GHETTO MCGILL, MONT ROYAL

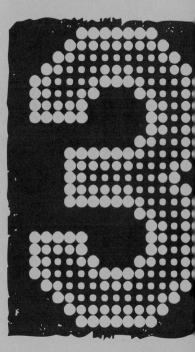

Au pied du mont Royal
Le stade Percival-Molson et le pavillon Wong de l'Université McGill,
avec l'œuvre *Transition muette* de Jacek Jarnuszkiewicz.
© Denis Farley

Quartier d'histoire et d'avenir, Milton-Parc se situe quelque part entre un hier bien apparent dans son architecture – les maisons en rangée, notamment – et un demain perceptible dans le visage des gens qu'on y croise; l'Université McGill n'est pas loin et ça se sent.

Ici, l'anglais se fait dominant, et certaines des belles maisons de ville du début du XXe siècle sont aujourd'hui subdivisées en appartements, loués par la population étudiante. Ce n'est pas pour rien non plus si les cafés Wi-Fi où butiner abondent. Conséquence de la proximité du campus, le plus vieux des quatre que compte Montréal et le plus prestigieux, le quartier est aussi désigné par l'appellation de Ghetto McGill.

À travers ses murs et le brouhaha animé de ses rues, Milton-Parc recèle des éléments d'art et de création, passés ou actuels, qui forgent son identité culturelle. Bien qu'on y trouve quelques adresses où humer l'art du temps, l'essentiel du programme à voir dans ce parcours se vit dans la rue. Ou sur la montagne. Le ghetto universitaire possède un avantage considérable : il est situé au pied du mont Royal. C'est tout naturellement vers lui, où repose un bon nombre d'œuvres de la collection d'art public de la Ville, que la promenade nous mènera.

Lac aux Castors

12

Milton-Parc, Ghetto McGill, le mont Royal

⬐ Combien de temps?
Pour l'ensemble du parcours : 5h30

⬐ Segments
Milton-Parc : 1h

Environs de l'Université McGill : 1h45

Le parc du Mont-Royal : 2h45

⬐ Comment?
Parcours à pied

Arts numériques : ★★★

Art public : ★★★★

Arts visuels : ★★

Arts de la scène : ★

Design : ★★

Musique : ★★

1	MAI - Montréal arts interculturels	
2	Cinéma du Parc	
3	Maison William-Notman	
4	Galerie Gora	

5	Pavillon de l'École de musique Schulich	
	Ondes	
6	Salle Pollack	
7	Salle Redpath	
8	Musée McCord	

9	*Les Moments magiques*
10	*Give Peace a Chance*
11	*La Montagne des jours*
12	Symposium international de sculpture de Montréal
13	*Monument à Sir George-Étienne Cartier*

Parc
du Mont-Royal

voie Camillien-Houde

ch. Olmsted

Parc
Jeanne-
Mance

ch. Olmsted

13

rue Marie-Anne

rue Rachel

av. Duluth

rue Napoléon

rue Roy

av. du Parc

av. de l'Esplanade

rue Saint-Urbain

rue Clark

boul. Saint-Laurent

11

av. des Pins

10

9

av. des Pins

1

Métro Sherbrooke▸

rue du Université

rue Prince-Arthur

Av. du Parc

2

rue Sainte-Famille

rue Prince-Arthur

av. Lorne

av. du Docteur-Penfield

rue Milton

rue Aylmer

rue Durocher

rue Hutchison

rue Sherbrooke

3

rue Peel

rue McTavish

7

4

6 **5**

rue Sherbrooke

8

rue Saint-Urbain

rue Clark

boul. Saint-Laurent

rue Ontario

Av. du Président-Kennedy

MCGILL

rue Aylmer

boul. De Maisonneuve

rue de Bleury

rue Jeanne-Mance

PLACE-
DES-ARTS

PEEL

rue Mansfield

av. McGill College

rue University

av. Union

rue Sainte-Catherine

SAINT-
LAURENT

©ULYSSE

Milton-Parc

[arts interculturels, architecture, cinéma]

Le quartier Milton-Parc est constitué de rues calmes dans lesquelles s'alignent de jolies maisons en rangée du tournant du XXᵉ siècle, dont les appartements sont aujourd'hui souvent habités par des étudiants de l'Université McGill toute proche. La vue d'étudiants qui jouent au volley-ball à l'ombre du dôme de la chapelle de l'Hôtel-Dieu, qui domine le paysage, s'avère on ne peut plus typique du quartier.

> ⌦ *Le parcours débute sur l'avenue des Pins. Rendez-vous-y par l'autobus 144, à partir de la station de métro Sherbrooke, ou par les autobus 80, 129 ou 435, à partir de la station de métro Place-des-Arts.*

Sur le site de l'hôpital Hôtel-Dieu, le **Musée**

une trame de l'histoire de Montréal, à travers la lorgnette des soins de santé. Par leur soutien médical, les Hospitalières de Saint-Joseph ont été au cœur du développement de la ville. Ouvert en 1992, le musée possède une collection d'objets et d'œuvres d'art qui révèlent l'important rôle de cette communauté de religieuses. L'Hôtel-Dieu et sa chapelle se démarquent du quartier par leur architecture néoclassique. Notez que la première directrice de l'Hôtel-Dieu, Jeanne Mance, est désormais reconnue, depuis 2012, comme la cofondatrice de Montréal. Milton-Parc en porte les traces.

> ⌦ *Marchez vers l'ouest jusqu'à la rue Jeanne-Mance.*

1. Chapelle de l'Hôtel-Dieu. © *Photo : Denis Farley*
2. Vue de l'installation *Requiems* de Juan Manuel Echavarría, MAI - Montréal arts interculturels, Le Mois de la Photo à Montréal, 2011. © *Photo : Véronique Lépine*

MAI - Montréal arts interculturels
[multidisciplinaire, multiculturel, créativité]

Connu par son acronyme, rarement désigné par la totalité de son appellation, le **MAI - Montréal arts interculturels (1 ☺🏛️)** *(3680 rue Jeanne-Mance, espace 103)* n'a pas une, mais plusieurs identités, pas nécessairement discernables. En arts, c'est une garantie de qualité.

Un théâtre, une galerie, un café et des salles de répétition : sa nature interdisciplinaire fait du MAI un lieu ouvert à des publics très éclatés. Des publics prêts à prendre des risques, car on prône ici le renouvellement des pratiques artistiques. On ne sait jamais ce qui nous y attend, et c'est tant mieux.

Fondé dans les années 1990 sous l'initiative de l'administration municipale, le MAI est une des vitrines les plus fidèles du Montréal multiculturel. Dans la programmation en arts visuels, imprégnée du croisement des cultures, les artistes proviennent des quatre coins du globe. Pas étonnant que des manifestations internationales comme Le Mois de la Photo à Montréal voient dans le MAI un collaborateur apprécié.

À l'instar de tout le secteur entre les rues Sainte-Famille et Hutchison, la rue Jeanne-Mance possède ses maisons en ligne de tradition victorienne et en pierres grises, emblématiques du quartier. Formant aujourd'hui un des plus importants ensembles de coopératives d'habitation en Amérique du Nord, ces maisons sont un porte-étendard de résistance sociale. À la fin des années 1960, Montréal croule sous les pics des grands projets urbains et Milton-Parc est destiné à être transformé. Sans la réaction organisée d'un groupe de citoyens, portés à la défense de ce patrimoine, les maisons n'auraient pas survécu.

Parmi les résidents-militants, il se trouvait deux photographes, Clara Gutsche et David Millar, qui ont mené un projet commun autour de cette lutte. Pour ceux qui s'y intéressent, sachez que des images de la série *Milton Park* (1970-1973) sont conservées dans plusieurs musées, dont le voisin **Musée McCord** (voir p. 68).

1

Le complexe La Cité, qui s'étend sur quatre quadrilatères autour de l'avenue du Parc, est né de cette transformation radicale qu'a subie le secteur. Œuvre d'une femme, l'architecte Eva Vecsei, il cohabite, malgré tout, dans une certaine harmonie avec ses environs. Un de ses principaux bâtiments, autrefois un hôtel, loge désormais des résidences étudiantes.

C'est surtout le **Cinéma du Parc (2 ◎)** *(3575 av. du Parc)*, aménagé à l'intérieur de La Cité, qui fait office de point de rencontre. Fleuron du cinéma indépendant et d'une programmation en marge du marché, l'endroit a failli disparaître dans l'indifférence plus d'une fois. Il est aujourd'hui dirigé par Mario Fortin, qui est également à la tête du Cinéma Beaubien. À noter que la mezzanine du Cinéma du Parc fonctionne comme galerie d'art. Les expositions sont renouvelées une fois par mois.

↘ *À l'angle de l'avenue du Parc et de la rue Milton, marchez vers l'est jusqu'à la rue Saint-Urbain.*

Le **Studio Ernest-Cormier** *(3450-A rue Saint-Urbain)*, du nom de l'architecte célébré pour ses édifices à la brique jaune et d'inspiration Art déco, tel le pavillon principal de l'Université de Montréal, a été pensé comme atelier, lieu de rencontre et logement temporaire en

1921. Restauré à plusieurs reprises depuis les années 1980, le Studio Cormier sert aujourd'hui de résidence pour des artistes français inscrits au programme d'échange *Les inclassables*. Sa silhouette fantaisiste résulte d'une expérimentation formelle d'un espace relativement intime.

Un peu en retrait de la rue, le Studio Cormier se trouve à l'ombre de son voisin, l'ancienne **École des beaux-arts** *(3450 rue Saint-Urbain)*. L'édifice majestueux, notamment par sa façade et son escalier intérieur, se cherche une nouvelle vocation après avoir abrité les bureaux du Conseil des arts de Montréal jusqu'en 2009. Cette situation sans fonction a néanmoins servi la cause de deux manifestations : la Biennale de Montréal y a tenu sa 6e édition en 2011 et la première Biennale internationale d'art numérique y a placé une de ses nombreuses expositions en 2012.

Dans la rue Sherbrooke, un peu à l'est, à l'angle de la rue Clark, on retrouve la **Maison William-Notman (3 ▦◎)** *(51 rue Sherbrooke O.)*, du nom du pionnier de la photographie au Québec. Les fonds de son studio, qui a amplement documenté le Montréal de la fin du XIXe siècle, sont conservés au Musée McCord. On y dénombre quelque 400 000 images. La Maison

1. Maison William-Notman. © Photo : Notman.org, Fondation OSMO
2. *Interface* (1989) et *Fluorescence en interface* (2003), installations de François Dallegret sur la façade de l'ancienne École des beaux-arts.
© Photo : François Dallegret

William-Notman, remarquable par sa symétrie, a eu plusieurs fonctions, mais demeurait jusqu'à tout récemment dans une situation précaire. En décembre 2012 toutefois, la Fondation OSMO se portait acquéreur de l'édifice pour y établir «La maison du Web à Montréal», un centre des nouvelles technologies. Des rénovations ont été entreprises en janvier 2013 afin d'adapter la Maison William-Notman à ses nouvelles fonctions.

Notez le bâtiment voisin de la maison Notman, qui abrite la compagnie aérienne **Royal Air Maroc** *(75 rue Sherbrooke O.)*. Cette résidence de la première moitié du XIXe siècle a pris une importance capitale dans l'histoire de l'art québécois, à l'époque où elle était habitée par la famille Gauvreau. C'est ici que s'est tenue, en 1947, la deuxième exposition d'un groupe d'artistes dirigé par le peintre Paul-Émile Borduas et qui incluait les frères Claude et Pierre Gauvreau. L'expo a donné naissance à l'appellation

«automatiste» qui a collé au mouvement pictural et intellectuel qui s'ensuivit.

➘ *Revenez vers l'ouest jusqu'à l'avenue du Parc. Sur cette importante artère se trouvent deux adresses fort courues, l'une le jour, le Pikolo Espresso Bar (3418 av. du Parc), l'autre le soir, le Pullman (3424 av. du Parc).*

La **Galerie Gora (4 📷)** *(279 rue Sherbrooke O., espace 205)*, nichée au deuxième étage d'un bâtiment sans couleur, mais très bien placé, occupe un vaste local qui lui permet de jouer les choses en grand. Il y a des œuvres à vendre, oui, mais aussi des soirées culinaires et de l'espace pour votre fête de mariage.

➘ *Reprenez vers l'ouest jusqu'à la rue Aylmer.*

Le Ghetto McGill

[milieu universitaire, musique, architecture]

Goût de parler un anglais jeune et décontracté? Le cœur du Ghetto McGill, secteur qui s'étend jusqu'au boulevard Saint-Laurent, est pour vous. Ici, on circule à l'ombre de l'Université McGill. À l'instar de la noble institution, l'architecture domestique des rues avoisinantes offre un mélange de prestige et de précarité.

Érigé en 2005, le **pavillon de l'École de musique Schulich (5 🎵)** *(527 rue Sherbrooke O.)* marque les limites du campus de l'Université McGill – et l'œuvre qui l'accompagne du trottoir, *Ondes* **(5 🖼)** (2005), de Marie-France Brière, en est le premier signal. Le massif édifice en pierre polie offre un visage rajeuni à une institution dont le cœur architectural demeure un vaste complexe d'édifices historiques aux styles variés.

Le nouveau pavillon, qui porte la signature de l'architecte montréalais Gilles Saucier, augmente aussi le nombre de salles de concerts du campus, faisant de l'Université McGill un joyau pour les oreilles. Outre la salle Tanna Schulich, les ensembles et musiciens universitaires peuvent tenir leurs prestations dans la **salle Pollack (6 🎵)** *(555 rue Sherbrooke O.)* et la **salle Redpath (7 🎵)** *(3461 av. McTavish)*, qui se démarque par son décor issu de sa fonction précédente, une salle de lecture de bibliothèque. À noter aussi le **Musée Redpath** *(859 rue Sherbrooke O.)*, qui possède une vaste collection d'histoire naturelle et d'ethnologie.

Devant l'Université McGill, de l'autre côté de la rue Sherbrooke, le **Musée McCord (8 👁)** *(690 rue Sherbrooke O.)* présente une collection d'objets ethnographiques reliée à l'histoire de Montréal. Son regard vers le passé ne l'empêche pas de se tourner vers l'art actuel. De plus en plus d'artistes vivants y sont invités à exposer, et le musée a notamment mis en place en 2012 un programme de résidences de recherche. L'été, le McCord a sinon pris quelques bonnes habitudes. La petite rue Victoria qui le longe devient une terrasse, autour de laquelle des architectes paysagistes sont invités à intervenir. L'avenue McGill College (la rue devant le portail du campus universitaire) devient quant à elle le théâtre d'expositions originales à partir des Archives photographiques Notman.

> ↘ *Longez le campus de l'Université McGill par la rue University et rendez-vous à l'avenue des Pins. Les passionnés de littérature anglo-saxonne devraient par contre faire un détour par la librairie d'occasion The Word* **(469 rue Milton)**, *petite et charmante institution du quartier. Notez que nous sommes au pied du mont Royal et que les pentes ascendantes seront de plus en plus fréquentes.*

L'**Hôpital Royal Victoria** *(687 av. des Pins O.)* se démarque aussi par l'ensemble de ses bâtiments en pierre, précieux châteaux érigés au XIXe siècle et dotés de toits inclinés, de tourelles, de passerelles et de corridors souterrains. Le secteur désigné aujourd'hui comme Lieu historique national du Canada du Pavillon Hersey possède aussi son œuvre publique, *Les Moments magiques* **(9 🖼)** (1995), de l'incontournable sculpteur dans le paysage montréalais Michel Goulet. On la retrouve un peu en retrait de la rue, passée l'avenue du Docteur-Penfield, à l'ouest de la rue University. Deux parties la composent: une série de mâts avec des objets métaphoriques et un ensemble de pièces murales posées sur le mur d'un pavillon de l'hôpital.

> ↘ *Marchez toujours vers l'ouest jusqu'à la rue Peel.*

On se trouve désormais dans le Golden Square Mile, quartier résidentiel de la grande bourgeoisie jusque vers 1930. C'est pour elle qu'a été aménagé un parc en pleine nature, sur le mont Royal. Ceux qui s'intéressent à l'architecture d'Ernest Cormier et à un exemple de son travail en Art déco – ce que ne montrait pas le studio de la rue Saint-Urbain –, seront heureux de savoir qu'à quelque 500 m, se trouve la **Maison Ernest-Cormier** *(1418 av. des Pins O.)*, site historique tant par sa valeur artistique que par le fait d'avoir été la résidence de l'ancien premier ministre du Canada, Pierre Elliott Trudeau.

> ↘ *À l'angle de la rue Peel, empruntez les marches du côté nord de la rue; elles sont un des accès du parc du Mont-Royal.*

Milton-Parc, Ghetto McGill, le mont Royal

Pavillon de l'École de musique Schulich. © Photo : Marc Cramer

1. *Give Peace a Chance* par Linda Covit, artiste et Marie-Claude Séguin, architecte paysagiste / Groupe Cardinal Hardy. © Photo : Marc Cramer. Source : v2com.biz
2. La salle centrale du chalet du Mont-Royal. © Photo : Denis Farley

Le parc du Mont-Royal

[art public, parc de sculptures, nature]

Poumon de la ville, et son point le plus élevé après l'Oratoire Saint-Joseph, le mont Royal possède son «parc» qui attire son lot de promeneurs, joggeurs, cyclistes, voire skieurs, saison après saison – on parle de cinq millions de visiteurs annuels. Aménagé par Frederic Law Olmsted, le père de l'architecture de paysage et auteur aussi du Central Park de New York, le parc du Mont-Royal n'est pas qu'un trésor de faune et de flore en milieu urbain. Il est aussi un musée à ciel ouvert : sur son territoire, grand comme deux vastes terrains de golf (190 ha), on retrouve plusieurs œuvres, certaines monumentales, d'autres intégrées au ras du sol.

Give Peace a Chance (**10**) (2009), de Linda Covit, est le premier exemple d'art public sur la montagne que l'on croise lorsqu'on emprunte l'accès devant la rue Peel. Croiser? C'est peu dire. Alors qu'ils entament la lente ascension, les gens sont appelés à poser le pied directement sur l'œuvre. Fruit d'une collaboration avec l'architecte paysagiste Marie-Claude Séguin, *Give Peace a Chance* s'inscrit dans une série de marches. Ouvrez l'œil! Comme son titre l'indique, l'œuvre salue la chanson éponyme de John Lennon et décline cet appel à la paix en 40 langues. Au-delà de la commémoration, 40 ans plus tard, du célèbre *bed-in* du Beatle et de Yoko Ono tenu quelques

La Montagne des jours (**11** ⚑) (1991), de Gilbert Boyer, est... toute une montagne! Cette œuvre défie celui qui chercherait à la voir dans son intégralité. Sa dispersion et sa disposition plutôt discrète, à la manière du camouflage, appellent à jouer aux enquêteurs.

Composée de cinq plaques circulaires incrustées dans la terre, l'œuvre est sans doute un des meilleurs exemples d'intégration à son environnement. Elle n'en mime pourtant pas grand-chose, sauf peut-être le roc, par le matériau choisi, du granit, produit commercialisé que l'on confond avec le granite, roche plutonique. *La Montagne des jours* arrive cependant à se fondre dans le paysage quelle que soit la saison; les brindilles d'herbe, les feuilles mortes ou la neige lui conviennent toutes.

Les plaques sont dispersées un peu partout autour du chemin Olmsted, sous l'observatoire, près du lac aux Castors ou près de l'abri. Aucun panneau n'indique leur présence. Leur découverte se fait au hasard des pas, comme tout ce qui nous tombe dessus lors d'une promenade en forêt. Gilbert Boyer, dont l'art en est aussi un de mots, y a inscrit des récits, mélange de conversations prises sur-le-champ et de ses propres réflexions. On les cueille en glaneurs, de la bouche même de la montagne.

❧ *Montez tout en haut, au belvédère Kondiaronk, pour apprécier la vue sur le centre-ville et visiter le chalet du Mont-Royal. Deux principales options sont offertes à partir du chemin Olstmed: l'escalier pas tellement loin du sentier emprunté depuis la rue Peel, une épreuve de quelques 250 marches, ou le même tracé sinueux et ascendant du chemin Olmsted.*

Érigé en 1932, œuvre d'inspiration Beaux-Arts de l'architecte Aristide Beaugrand-Champagne, le **chalet du Mont-Royal** n'a pas été conçu pour une fonction bien précise, sinon celle d'être un lieu de rassemblement. Cérémonielle et dégagée, sa salle centrale fait penser aux halls des grandes gares. Elle est riche en détails – des figurines à l'effigie d'écureuils surplombent

l'espace – et en peintures: un parcours de 17 tableaux raconte les débuts du Canada. Ces 17 scènes historiques, qui incluent l'entrée de Jacques Cartier à Hochelaga ou l'implantation de la croix sur le mont Royal, ont été réalisées par un groupe de peintres, paysagistes ou portraitistes de réputation, entre autres Marc Aurèle Fortin, Edwin Holgate et Adrien Hébert.

Un nom ressort du lot: Paul-Émile Borduas. Celui qui assumera une décennie plus tard son rôle de leader dans le renouvellement pictural n'a même pas encore 30 ans, mais on lui confie l'ensemble du projet et le mandat de trouver les artistes. Le futur père de l'abstraction au Québec se réserve la reproduction de plans et cartes, dont une vue de Montréal à la fin du Régime français. Malgré son aspect vieillot et décrépit par endroits, le chalet est une précieuse niche. Il parle autant des débuts d'un pays (en peinture) que des premiers pas de l'artiste et penseur – Borduas – qui poussera le Québec dans la modernité.

Derrière le chalet du Mont-Royal, et reliés par un sentier, se trouvent la croix du Mont-Royal et le sommet de la montagne, à 233 m. La croix, structure monumentale, métallique et dotée d'ampoules de type DEL, a été installée en 1924 en mémoire de celle, en bois, érigée par le fondateur de Montréal, Paul Chomedey de Maisonneuve, trois siècles auparavant.

❧ *Poursuivez sur le même sentier jusqu'à une aire plus ouverte, en bordure du chemin Remembrance. Vous voilà au cœur du parc du Mont-Royal.*

2

Le Symposium international de sculpture de Montréal

[art public, parc de sculptures, histoire]

Trois ans avant l'Expo 67, qui mit Montréal sur la «mappe», la ville fut l'hôte d'un événement planétaire, devenu mythique. Le **Symposium international de sculpture de Montréal** (12 🅼) (1964), le premier du genre à se tenir en Amérique du Nord, a réuni 12 artistes – seulement deux Québécois, Robert Roussil et Armand Vaillancourt. L'idée de travailler sur place, *in situ*, loin de l'isolement de l'atelier, était encore toute nouvelle et, si l'événement sur le mont Royal ne s'est pas répété, il a marqué les esprits.

Dans le concret, ce sont plus que des traces du Symposium qui sont visibles : 11 des 12 œuvres ont survécu et celle de l'Israélien Kosso Eloul se marie au paysage toujours de manière aussi élégante. Dans l'absolu, ces sculptures massives, pour la plupart en pierre ou en béton,

au fer rouge. L'art public, de nos jours, n'en est plus à ces seules considérations modernistes de la matière pour la matière, de l'art pour l'art.

Tout de même, ce parc de sculptures, remarquable par le ton blanc qui les unit, est plutôt rare. Sa valeur historique est indéniable, et on circule volontiers parmi elles avec le même plaisir que lorsqu'on s'habille vintage ou que l'on fredonne des airs yé-yé.

Érigée en 1858, la **maison Smith** *(1260 ch. Remembrance)*, rare exemple de bâtiment rural, tient un rôle à la fois de porte d'entrée et de poste de sensibilisation. Elle loge les bureaux de l'organisme Les Amis de la montagne, mais aussi une boutique, un café et une exposition sur le mont Royal.

1. Le Monument à Sir George-Étienne Cartier, pris d'assaut pendant l'événement des « tam-tams » en été. © Photo : Philippe Renault/hemis
2. *La Force* d'Armand Vaillancourt (1964), réalisé pour le Symposium international de sculpture de Montréal. © Photo : René Saint-Pierre

Plus haut, le chemin Remembrance devient la voie Camillien-Houde, célèbre pour sa montée digne des classiques cyclistes. C'est lors des Championnats du monde de vélo sur route en 1974 qu'elle eut son baptême comme épreuve de compétition, deux ans avant les Jeux olympiques. Depuis trois ans, en septembre, ce sont les coureurs inscrits au Grand Prix cycliste qui l'empruntent plus d'une quinzaine de fois. Eux y grimpent, vous, vous la descendrez.

❯ *Pour finir le parcours, rendez-vous au pied du Monument à Sir George-Étienne Cartier. On peut s'y rendre par bus – ligne 11, descendre à l'avenue du Parc –, ou à pied, notamment à travers les sentiers plus ou moins balisés qui traversent les boisés.*

Le **Monument à Sir George-Étienne Cartier (13 🚇)** (1919) est certes issu d'une tradition statuaire qui a, depuis longtemps, perdu des plumes, et même son piédestal. Cette œuvre destinée à honorer un homme d'État canadien est néanmoins chérie depuis les années 1990, devenant un des points de réunion les plus populaires et festifs. Les dimanches des saisons chaudes, les masses accourent danser et vibrer au rythme des tam-tams. Une visite dominicale du mont Royal ne peut se terminer autrement qu'ici. Si le soleil s'y met avec ses rayons, la soirée ne peut être que féerique.

Carnet d'adresses créatif

👁 Arts visuels

Galerie Gora
lun-ven 10h à 17h; 279 rue Sherbrooke O., espace 205, 514-879-9694, www.gallerygora.com

Musée McCord
mar 10h à 18h, mer 10h à 21h, jeu-ven 10h à 18h, sam-dim 10h à 17h; 690 rue Sherbrooke O., 514-398-7100, www.mccord-museum.qc.ca

MAI - Montréal arts interculturels
mar-sam 12h à 18h; 3680 rue Jeanne-Mance, espace 103, 514-982-1812, www.m-a-i.qc.ca

Musique

Salle Tanna Schulich
555 rue Sherbrooke O., 514-398-4547

Salle Pollack
555 rue Sherbrooke O., 514-398-4547

Salle Redpath
3461 av. McTavish, 514-398-4547

Bars, cafés, commerces

Bénélux, brasserie artisanale, 245 rue Sherbrooke O.

Paragraphe, libraire, 2220 av. McGill College

Cinéma du Parc, 3575 av. du Parc

Pikolo Espresso Bar, café, 3418 av. du Parc

Pullman, bar, 3424 av. du Parc

The Word, bouquinerie, 469 rue Milton

QUARTIER DES SPECTACLES, CENTRE-VILLE EST

La culture, jour et nuit
Le Musée d'art contemporain de Montréal et le Théâtre du Nouveau Monde avec sa murale typographique *Jeu de mots* (production : organisme MU; création : Thomas Csano; réalisation : Florence April-Borgeat).
© Denis Farley

Depuis les années 1960, le centre-ville de Montréal n'avait pas connu de projet fédérateur aussi vaste que celui apparu au milieu des années 2000. La métropole avait déjà sa « place des arts », la voilà maintenant dotée de son Quartier des spectacles. C'est dans les environs immédiats de la Place des Arts que se sont arrimés plus d'un festival (cinéma, jazz, chanson), un musée, des galeries et bon nombre d'organismes culturels. La création du Quartier des spectacles constitue l'ultime expression de cette forte concentration.

Coordonné comme une entité en soi pour faire rayonner Montréal à l'échelle internationale, le Quartier des spectacles s'étend de la rue Sherbrooke au boulevard René-Lévesque, et entre les rues Saint-Hubert et City Councillors. On y dénombre quelque 80 lieux de diffusion, dont 30 salles de spectacle. Le parcours proposé ici ne se concentre que sur sa partie ouest; la partie est, soit le Quartier latin autour de l'UQAM, est abordée dans un autre parcours.

Le territoire survolé dans les pages qui suivent compte néanmoins une forte concentration de diffuseurs, notamment une quinzaine de salles de spectacle ou de théâtre. Quant aux œuvres publiques, elles peuvent surgir partout : dans un parc ou un hall d'édifice, sur un toit, dans les sous-sols ou à travers une performance en chair et en os.

Le Quartier des spectacles est aussi l'objet d'un programme nocturne rassembleur. Véritable laboratoire urbain, le Parcours lumière propose des interventions permanentes ou éphémères, créatives ou signalétiques, à apprécier de la rue. Montréal peut se targuer, par ce volet lumineux, d'être une des villes les plus créatives dans le domaine. Sa réputation de centre planétaire de l'art numérique en est ainsi confirmée. Huit façades sont animées, 365 jours par année, par des propositions conçues par les esprits les plus créatifs, comme Pascal Grandmaison, vidéaste consacré de la scène contemporaine, ou Moment Factory, collectif devenu célèbre dans le monde par son travail sur la façade de la Sagrada Família à Barcelone.

Quartier des spectacles, centre-ville est

↘ **Combien de temps?**

Pour l'ensemble du parcours : une journée

↘ **Segments**

De Dare-Dare aux alentours du Musée d'art contemporain : 3h30

Le Belgo : 2h30

L'art souterrain jusqu'à la Place Ville-Marie : 1h

↘ **Comment?**

Parcours à pied

Arts numériques : ★ ★ ★

Art public : ★ ★ ★

Arts visuels : ★ ★ ★ ★ ★

Arts de la scène : ★ ★ ★ ★

Design : ★ ★

Musique : ★ ★ ★ ★ ★

1		Centre Dare-Dare
2		Coop Les Katacombes
3		Métropolis
		Le Savoy
4		Foufounes Électriques
5		Le 2.22
		Artexte
		Centre Vox
6		Club Soda
7		Société des arts technologiques (SAT)
8		Monument-National
9		*Lumière et mouvement dans la couleur*
10		Théâtre du Nouveau Monde
11		*After Babel, a Civic Square*
12		*21 balançoires*
13		Maison symphonique de Montréal
		Mouvements
		C'est sûrement des Québécois qui ont fait ça

14		Place des Arts
		L'artiste est celui qui fait voir l'autre côté des choses
		Comme si le temps... de la rue
15		Musée d'art contemporain de Montréal (MACM)
		La Voie lactée
16		Place des Festivals
		Écho
18		Maison du Festival Rio Tinto Alcan
		L'Astral
19		Le Gesù
20		Belgo
		Roger Bellemare et Christian Lambert
		Optica
		SBC
		Joyce Yahouda
		Trois Points
		Nicolas Robert
		Donald Browne

		Les Territoires
		Galerie B-312
		Circa
		Lilian Rodriguez
		Laroche/Joncas
		[sas]
		Maison Kasini
		Visual Voice
		Arprim
		Hugues Charbonneau
		Skol
		Association des galeries d'art contemporain
		Studio 303
		Pierre-François Ouellette art contemporain
		Art 45
21		Centre Eaton de Montréal
22		*Autoportrait*

rue Milton

rue Aylmer
rue Durocher
rue Hutchison
av. du Parc
rue Sainte-Famille

rue Milton

rue Sherbrooke

rue Saint-Urbain
rue Clark
boul. Saint-Laurent
rue Saint-Dominique

rue Ontario

rue de Bleury
rue Jeanne-Mance

2

Av. du Président-Kennedy

rue Ontario

11
12

boul. De Maisonneuve

16
13

PLACE-
DES-ARTS

boul. De Maisonn

rue Aylmer

17

14

1

SAINT-
LAURENT

15

21

rue Sainte-Catherine

18

3 **4**

20

10

5

19

6
7

8

boul. René-Lévesque

9

côte du Beaver Hall
rue Saint-Alexandre
rue De Bleury
rue Jeanne-Mance
rue Saint-Urbain
rue Clark
boul. Saint-Laurent
rue Saint-Dominique
rue De Bullion

av. Viger

PLACE-D'ARMES

SQUARE-
VICTORIA

rue Saint-Antoine

autoroute Ville-Marie

©ULYSSE

1

Dare-Dare

[art urbain, expérimentation, artistes émergents]

⬎ *Le parcours débute à la sortie de la station de métro Saint-Laurent.*

L'image de rassembleur que cherche à se donner le Quartier des spectacles prend tout son sens ici, devant le premier point d'intérêt : le **centre Dare-Dare (1 ◉)** *(angle rue Saint-Dominique et boul. De Maisonneuve)*, lui dont la demeure se trouve désormais à un souffle de la station de métro Saint-Laurent. Oui, oui, là, dans ce terrain vacant, adjacent à l'édicule de la station... Pourtant ce centre d'artistes autogéré est un des plus critiques à l'égard de l'entité qui chapeaute désormais une bonne partie du centre-ville de Montréal. Son mandat de soutenir des artistes émergents intéressés par l'expérimentation et l'action communautaire cadre en effet mal avec l'appellation « spectacles ».

Sans domicile fixe depuis 2004, amarré à des espaces publics dépréciés, Dare-Dare a opté pour une vie dans la marge, avec un projet dit « d'articulation urbaine » et intitulé avec beaucoup d'à-propos *Dis/location*. Son bureau prend place dans une roulotte ; ses salles d'exposition, dans la rue. La roulotte s'est toujours arrêtée à des emplacements cultivant l'image de l'exclusion

entre la place mal aimée (le square Viger, aux abords du Vieux-Montréal), un parc sans nom dans le Mile-End ou le terrain actuel, occupé depuis le printemps 2012. Loin d'être contraignante, cette situation a souvent inspiré les artistes à réaliser des projets éphémères d'art public. Les performances urbaines ont aussi été mises à contribution.

Vous ne pouvez rater le bureau ambulant de Dare-Dare. Il est entièrement couvert de la peinture à l'aérosol si caractéristique du collectif En masse : ses personnages en noir et blanc, comme sortis d'une bédé, vous hèlent de toutes les manières. Il y en a qui vous tirent même la langue.

La *Dis/location*, dont le calendrier et les limites varient d'une année à l'autre, a aujourd'hui aussi un mur d'exposition. Ou, plutôt, une enseigne lumineuse rescapée d'un lointain passé. Malgré sa dimension, la surface jaune sert aujourd'hui à des projets d'écriture des plus variés. Des haïkus, disons, à portée sociale.

Le Quartier des spectacles serait plus inclusif que son appellation ne le laisse croire. Il n'attire pas que des artistes confirmés, n'est pas seulement fait que de programmes réconfortants. Pas tellement

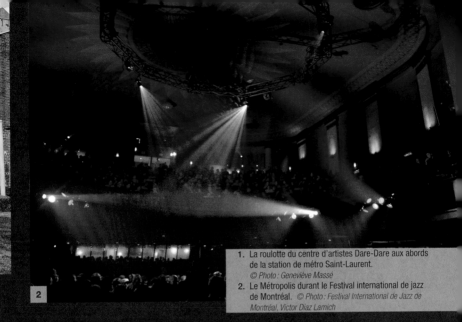

1. La roulotte du centre d'artistes Dare-Dare aux abords de la station de métro Saint-Laurent.
© Photo : Geneviève Massé
2. Le Métropolis durant le Festival international de jazz de Montréal. © Photo : Festival International de Jazz de Montréal, Victor Diaz Lamich

plus loin au nord de Dare-Dare, à l'angle de la rue Ontario, la **coop Les Katacombes (2** 🎵**)** *(1635 boul. Saint-Laurent)* vibre là, depuis 2009, au son des musiques underground et en particulier des styles punk et métal.

Pour ceux qui recherchent les antennes culturelles de pays étrangers, et dans ce cas celle de l'Allemagne, sachez que le **Goethe Institut** *(1626 boul. Saint-Laurent)* vient aussi de s'installer dans le secteur, juste en face des Katacombes. Pour un dépaysement similaire, un peu plus au nord au milieu de la pente accentuée du boulevard Saint-Laurent, rendez-vous à la librairie **Las Américas** *(2075 boul. Saint-Laurent)*, la référence en ville pour ce qui est de la littérature en espagnol.

> ↘ *Prenez le boulevard Saint-Laurent vers le sud jusqu'à la rue Sainte-Catherine. Pour beaucoup, le cœur de la ville se trouve là, au croisement de ces deux artères pleines d'histoire et de vie.*

Saint-Laurent et Sainte-Catherine : à Montréal, ce ne sont pas deux saints, mais bien deux rues où il est bon de faire son pèlerinage. À une autre époque, leur croisement formait le Red Light, secteur où, à la tombée du jour, les plaisirs coupables se faisaient concurrence. Le Red Light

a perdu de son «lustre» depuis longtemps, mais il demeure un phare de la vie culturelle. Jour et nuit.

On ne peut pas marcher ici sans vous pointer le **Métropolis (3** 🎵**)** *(59 rue Sainte-Catherine E.)* et les **Foufounes Électriques (4** 🎵**)** *(87 rue Sainte-Catherine E.)*, deux incontournables de la musique qui expliquent ce seul aparté du parcours à l'est du boulevard Saint-Laurent.

Le Métropolis est la grande salle de Montréal, celle de la consécration, et avec son alter ego plus petit qu'il abrite, **Le Savoy (3** 🎵**)**, il possède tous les atouts pour être de chacun des grands rendez-vous. Plus que centenaire, l'endroit a connu plusieurs vies, sous la forme de patinoire, de théâtre, de cinéma érotique. Il est aujourd'hui géré par l'équipe Spectra, le même derrière le Festival international de jazz et Les FrancoFolies.

Les Foufounes Électriques, quant à elles, n'ont cessé de sortir des sentiers battus depuis leur ouverture dans les années 1980. Avec ses airs de squat et de «fin d'ruelle» à éviter, l'endroit a semé ce qu'il fallait pour entretenir une culture du risque, loin de l'étiquette BCBG de la pas tellement lointaine Place des Arts. Bérurier Noir, Nirvana, Sonic Youth figurent parmi les groupes qui s'y sont

2.22

[nouveauté architecturale, art actuel, art public]

Le **2.22 (5 🏠👁)** *(2 rue Sainte-Catherine E.)*, c'est le nouvel étendard culturel, érigé à même ces deux axes déterminants que sont le boulevard Saint-Laurent et la rue Sainte-Catherine. Son emplacement en fait un véritable guide, et c'est littéralement une de ses fonctions. Le rez-de-chaussée est occupé par **La Vitrine**, l'organisme qui agit comme point de vente central pour toute l'offre culturelle de Montréal.

Appelé à devenir un modèle de créativité, le 2.22 a été doté de son œuvre du 1% – la politique d'intégration de l'art à l'architecture gérée par le gouvernement du Québec et destinée à ce que cette part du budget de construction d'un bâtiment public soit réservée à la création d'une œuvre. Mais quel 1%! La première de ce type à être accordée à une performance, à une œuvre temporaire. Inaugurée en décembre 2012, *J'aime Montréal et Montréal m'aime*, de Thierry Marceau, se déroule par périodes, à raison de quelques jours consécutifs. L'artiste incarne une sorte de Joseph Beuys, figure mythique et planétaire de l'art conceptuel, et habitera à l'occasion, pendant cinq ans, l'édifice et, en particulier, ses passerelles visibles de la rue. Inspirées de l'action de Beuys pendant laquelle celui-ci s'était enfermé avec un coyote dans une galerie de New York, les présences de Marceau visent à rapprocher le caractère grand public du Quartier des spectacles et le domaine pointu de l'art performance.

La diffusion et l'information font partie de l'échine du 2.22. C'est à partir d'ici qu'émet ses ondes la **radio communautaire CIBL** *(espace 201)*, jadis fleuron de l'est de Montréal. On y retrouve aussi **Artexte (5 👁)** *(espace 301)*, centre de documentation en art actuel, la **librairie Formats** *(espace 302)*, la seule spécialisée en arts, ainsi

que le **centre Vox (5 👁)** *(espace 401)*, voix particulièrement forte dans la transmission de la photographie et de tout ce qui concerne l'image contemporaine. À eux trois, ils forment l'entité **Art actuel 2.22**.

Témoin depuis 20 ans de l'évolution des pratiques de la photographie, le centre Vox se situe à l'avant-scène de la diffusion de l'art contemporain à Montréal. Et tient même sa place à l'échelle planétaire. Malgré sa taille et ses ressources limitées, Vox joue dans la même cour que des institutions prestigieuses comme le Casino du Luxembourg/Forum d'art contemporain.

Installé au quatrième étage du nouvel édifice, Vox a peut-être perdu le local pignon sur rue qu'il avait depuis 2004. Sa programmation, plus que jamais, est sa véritable carte de visite. Une chose est sûre, ici, «l'image contemporaine», que ce soit en photo ou sous d'autres formes – vidéo, installation multimédia, film – joue les premiers rôles.

À partir du 2.22, et jusqu'au boulevard René-Lévesque, le boulevard Saint-Laurent regroupe une grande variété de lieux. Ce n'est pas pour rien qu'on désigne la rue comme la *Main* («principale» en anglais). Le **Club Soda (6 🎵)** *(1225 boul. Saint-Laurent)*, salle de style cabaret apte à toutes les musiques, se démarque par sa marquise. À quelques portes de là, le **Montréal Pool Room** *(1217 boul. Saint-Laurent)*, vénérable institution du manger simple et convivial – des hot-dogs pour une poignée de monnaie –, accueille les convives 24 heures sur 24.

La **Société des arts technologiques (7 ▦)** *(1201 boul. Saint-Laurent)*, ou **SAT** pour les intimes, possède une des façades les plus originales en

1. Le 2.22. © Photo : Denis Farley
2. Club Soda. © Photo : Karel Chaldek
3. La Société des arts technologiques
   pendant le SAT Fest.
   © Photo : Sébastien Roy - Société des
   arts technologiques [SAT]

ville, une murale en lumières DEL qui tournent sur elles-mêmes – il s'agit de **Pixiness**, œuvre d'Axel Morgenthaler. À la fine pointe de la technologie, lieu de recherche et de diffusion, la SAT est l'endroit idéal pour connaître l'avancée de notre monde en pixels. Et sa Satosphère, une salle de projection immersive à 360° dont l'éclairage extérieur du dôme porte la griffe du même Morgenthaler, constitue une expérience unique. Notez également que l'événement **Souk @ sat** *(début décembre)*

est un marché d'objets novateurs fort couru en période pré-Noël.

Propriété de l'École nationale de théâtre, le **Monument-National (8)** *(1182 boul. Saint-Laurent)* a une tout autre allure, derrière sa majestueuse façade en pierre de style néo-Renaissance. L'historique édifice, érigé au XIXe siècle et voué au théâtre et aux autres arts de la scène, demeure un moteur du Montréal culturel.

↘ *Au boulevard René-Lévesque, tournez à droite.*

Lumière et mouvement dans la couleur
[art public, art médiatique, œuvre historique]

Le siège social d'**Hydro-Québec** *(75 boul. René-Lévesque O.)* possède son attrait visuel. Créée à la suite d'un rare concours d'art public pour son époque, ***Lumière et mouvement dans la couleur*** **(9 🔲)** (1962), murale de Jean-Paul Mousseau, illumine le hall d'entrée de sa mosaïque chromatique. « Illumine » n'est pas une figure de style : l'œuvre est composée d'une multitude de néons – 1 280 m de tubes au néon, pour être précis –, qui s'éveillent selon différents cycles de luminosité.

Leur éclairage anime une plaque de fibre de verre, une paroi translucide qui devient sous ces jets de couleurs une surface picturale. Mousseau, faut-il le rappeler, est un peintre, cadet de la cohorte d'artistes apparus à la fin des années 1940 avec le mouvement automatiste. Or, ici, l'huile a été remplacée par la résine colorée, la gestuelle du peintre par un dispositif de circuits électriques. Les compositions sont, elles, indéfinies.

La murale, novatrice mais fragile, s'est éteinte pendant de longues années. Restaurée en 2002, elle est redevenue le phare de la société d'État. Remise en lumière, elle bénéficie même d'un regain d'intérêt. Aujourd'hui, des visites commentées sont offertes à qui les demande.

↘ *À la rue Saint-Urbain, tournez à droite et dirigez-vous vers la rue Sainte-Catherine.*

Le **Théâtre du Nouveau Monde (10 🔲)** *(84 rue Sainte-Catherine O.)* fait figure de pilier. Qu'il revisite les classiques de la dramaturgie internationale ou qu'il porte son attention à la création québécoise, il fait preuve d'audace. Depuis plus de 60 ans. Deux de ses fondateurs, et premiers directeurs, Jean Gascon et Jean-Louis Roux, sont des monstres sacrés du théâtre québécois. Et son actuelle dirigeante, Lorraine Pintal, en poste depuis 20 ans, compte parmi les metteures en scène les plus respectées. Le théâtre a bénéficié et continue à bénéficier ici d'une de ses grandes scènes.

De fait, l'acronyme TNM n'a même plus besoin d'explications. Et l'immense mur en brique du bâtiment, lui, séduit bien plus qu'il effraie. Sa rénovation dans les années 1990, signée Dan Hanganu, a créé une véritable agora où il fait bon se donner rendez-vous. Le succès du **Café du TNM** en est tributaire.

↘ *Poursuivez par la rue Saint-Urbain, vous arriverez devant le nouveau bijou : la Maison symphonique de Montréal. Avant de vous diriger vers elle, observez les environs à partir de l'aire bétonnée entre le boulevard De Maisonneuve et la rue Ontario.*

Un ensemble de deux colonnes et divers éléments figuratifs, dont un chien en bronze sur le point de hurler à la lune, composent l'œuvre ***After Babel, a Civic Square*** **(11 🔲)** (1992), de John McEwen et Marlene Hilton-Moore. Elle s'est posée ici, « Promenade des artistes », comme une oasis au milieu d'une dune motorisée. Or, depuis, le secteur a subi la cure du spectacle et, il faut l'avouer, est plus convivial. Un mobilier très design a ainsi fait son apparition, qui, notamment, accueille dès l'arrivée du printemps **21 *balançoires* (12 🔲)**, un projet musical et ludique d'usage public. Sauf que ces hauts lampadaires et ces structures carrées, qui peuvent servir aussi de murs d'exposition, jettent de l'ombre à l'œuvre de 1992 déjà en place, plus poétique et, somme toute, moins spectaculaire. Faites-vous une opinion, mais... Entendez-vous le chien bronzé ?

---

1. Théâtre du Nouveau Monde avec sa murale lumineuse *Jeu de mots* (production : organisme MU; création : Thomas Csano; projection : Claude Accolas). © *Photo : Martine Doyon – Partenariat du Quartier des spectacles*
2. Monument-National. © *Photo : Martine Doyon – Quartier des spectacles*
3. La murale *Lumière et mouvement dans la couleur* de Jean-Paul Mousseau (1962) au siège social d'Hydro-Québec. © *Photo: Hydro-Québec*

La Maison symphonique et la Place des Arts

[nouveauté architecturale, complexe culturel, art public]

La **Maison symphonique de Montréal (13 🎵)** *(1600 rue Saint-Urbain)* s'est laissé désirer pendant des années, voire des décennies. Inaugurée finalement en 2011, chérie pour sa qualité acoustique, elle est incontournable pour le mélomane. Elle est la résidence de l'Orchestre symphonique de Montréal, dirigé par Kent Nagano, et de l'Orchestre métropolitain, dont le chef attitré est Yannick Nézet-Séguin, mais s'ouvre aussi à de plus petits ensembles tels les Violons du Roy.

Deux œuvres ont été intégrées à cette architecture. L'une d'elles est visible de la rue Saint-Urbain, puisqu'elle occupe une bonne partie de la façade vitrée. Composée d'une multitude de goujons en bois et en métal, *Mouvements* **(13 🎵)** (2012), de Dominique Blain, est une autre proposition lumineuse, qui éclaire jour et nuit, sous l'effet des reflets ou grâce à des lampes DEL. L'œuvre, qui peut se lire comme une partition, traduit visuellement le rythme et la variété sonore de la musique.

Installée dans le *Piano nobile*, l'autre proposition s'expérimente de plusieurs points de vue, en plongée, en contre-plongée ou même de l'extérieur. Elle porte tout un titre, *C'est sûrement des Québécois qui ont fait ça* **(13 🎵)** (2011), propre à l'humour de son auteur, le collectif BGL. Cette seconde œuvre, suspendue dans les airs, illustre, elle, les ondes sonores et prend la forme des vortex. Elle se situe quelque part entre la sculpture et le luminaire, entre l'art et le design.

Inaugurée en 1963, la **Place des Arts (14 🎵🎭)** *(260 boul. De Maisonneuve O.)* fait partie de ces importants chantiers qui ont transformé Montréal à l'époque où la ville s'apprêtait à devenir une cité internationale. Contemporain de la Place Ville-Marie, de la Tour de la Bourse et de tant d'autres, ce complexe polyvalent répondait aux besoins de la métropole de se doter d'une grande salle de concerts. Avec ces cinq «théâtres», d'une capacité totale de 6 000 sièges, et avec l'ajout de la Maison symphonique, la Place des Arts continue à jouer le rôle de pôle culturel. L'offre est des plus variées, du ballet classique à la danse contemporaine, en passant par l'opéra. Ce n'est pas pour rien non plus qu'avec les années s'y sont greffés des événements moteurs comme le Festival international de jazz.

Parmi les quelques œuvres publiques que possède le complexe, il y en a une qui pique grandement la curiosité. Installée dans le corridor central de la Place des Arts, devant l'entrée de la salle Wilfrid-Pelletier, l'œuvre *L'artiste est celui qui fait voir l'autre côté des choses* **(14 🎵)** (1992), de Claude Bettinger, est à expérimenter de l'extérieur et de l'intérieur de l'édifice. Ce cylindre en verre et en miroirs multiplie les points de vue et prend fonction aussi bien de puits de lumière que de piège visuel.

Dans le même corridor, en face de l'entrée du Musée d'art contemporain, *Comme si le temps... de la rue* **(14 🎵)** (1992), de Pierre Granche, offre une vue de Montréal en maquettes et en figures mythologiques. Propriété du Musée d'art contemporain, l'œuvre souffre par contre d'un récent aménagement des lieux. Elle semble non seulement avoir perdu sa fonction de fontaine et sa connexion avec l'esplanade extérieure, elle se trouve désormais coincée, et moins visible, depuis l'apparition d'un restaurant-bar qui a modifié la circulation.

1. La Maison symphonique de Montréal. © Photo : Jean Buithieu
2. Jean Dubois et Chloé Lefebvre, *À PORTÉE DE SOUFFLE* - Parcours numérique I BIAN 2012 I Vitrine Place des Arts.
© Photo : Martine Doyon - Partenariat du Quartier des spectacles

1

2

3

Le Musée d'art contemporain de Montréal

[institution phare, art actuel, art public]

Établissement public presque cinquantenaire, créé avec la mission avouée de refléter la création québécoise, le **Musée d'art contemporain de Montréal (MACM) (15 ⊚)** *(185 rue Sainte-Catherine O.)* est un incontournable de la scène culturelle depuis qu'il s'est établi aux côtés de la Place des Arts, en 1992. Malgré son image de mal-aimé – en témoignent de manière récurrente les controverses, comme celle, récente, au sujet de son éventuel agrandissement –, le MACM n'a jamais renoncé à rallier l'art le plus pointu au public le plus large.

Pas une année qui passe sans qu'un projet d'un artiste, québécois, canadien ou étranger, marque les esprits. Le corridor d'emballages de Noël monté de toutes pièces par le collectif BGL, la promenade sonore de Janet Cardiff ou le projet de Spencer Tunick qui a mis à nu des hommes et des femmes à même les environs de la Place des Arts sont parmi ces moments forts de l'histoire récente du musée.

Avec ses expositions thématiques ou monographiques, de portée nationale ou internationale, le MACM est, sans doute, un des principaux diffuseurs d'art contemporain de la région. Et avec des initiatives tel que la Triennale québécoise, des colloques ou des publications axées sur les grands courants esthétiques des dernières années, il cherche à stimuler la réflexion sur l'art d'ici et d'ailleurs.

Notez également, pour peu que vous soyez prêt

1. Le Musée d'art contemporain de Montréal, avec la photographie *La Voie lactée* de Geneviève Cadieux sur son toit. © *Photo : Nat Gorry*
2. Le spectacle de danse *Cesena* d'Anne Teresa De Keersmaeker dans le cadre du Festival TransAmériques. © *Photo : Herman Sorgeloos*
3. La place des Festivals pendant le Festival international de jazz de Montréal. © *Photo : Jean-François LeBlanc, Festival International de Jazz de Montréal*

le toit du musée. Il s'agit d'une photographie de Geneviève Cadieux, ***La Voie lactée*** (15) (1992), qui a acquis le statut d'emblème de Montréal. Il s'agit d'un rare privilège pour une œuvre d'art, dont seul jouissait peut-être *L'Homme* de Calder, sculpture située sur l'île Sainte-Hélène depuis l'Expo 67. Pendant un certain temps, un logo de Tourisme Montréal s'inspirait de *La Voie lactée*. Un bisou de Montréal, plein de rouge à lèvres et d'amour, ça vous dit? Prenez note que Geneviève Cadieux a réalisé une variante de cette œuvre, destinée au métro de Paris. Rebaptisée *La Voix lactée*, elle est située à la station Saint-Lazare depuis octobre 2011.

Inaugurée en 2009, la **place des Festivals (16)** *(le long de la rue Jeanne-Mance entre la rue Sainte-Catherine et le boulevard De Maisonneuve)* concrétise le projet de longue haleine de regrouper différents acteurs autour d'une idée commune, celle de faire de Montréal une ville de fêtes et d'événements. Le paysage a passablement changé

(pour le mieux), et le piéton en est désormais le principal bénéficiaire. L'ajout de jets d'eau à ras le sol constitue un véritable agrément en temps de canicule, et les jeux de lumière donnent à l'endroit sa féerie. Ces fontaines animées et interactives, le plus grand ensemble de ce type au Canada, sert à l'occasion de matériau créatif.

La place des Festivals est toute nouvelle, mais cette esplanade aux limites très élastiques accueillait déjà l'événement **Montréal en lumière** *(février)*, **Les FrancoFolies** *(juin)* et le **Festival international de jazz** *(juin-juillet)*, auxquels se sont ajoutés récemment **Luminothérapie** *(décembre-janvier)*, le **Festival Juste pour rire** *(juillet)*, **Nuits d'Afrique** *(juillet)*, **Présence Autochtone** *(août)* et la foire d'art contemporain **Papier** *(avril)*. Dans une moindre mesure, à travers des activités en plein air, le **Festival TransAmériques** *(mai-juin)* et le **Festival des films du monde** *(août-septembre)* se sont aussi enracinés ici ou dans les environs immédiats.

1. Cinéma Impérial. © *Photo : Camille Duclos/Dreamsgate Pictures*
2. Maison du Festival Rio Tinto Alcan. © *Photo : Festival International de Jazz de Montréal, Frédérique Ménard-Aubin*

🦢 *Rendez-vous à la rue De Bleury, à l'angle du boulevard De Maisonneuve. Empruntez-la jusqu'à la rue Sainte-Catherine.*

Il faut dire que le secteur offrait déjà un concentré de culture, presque immuable, notamment avec la Place des Arts. Le passant peut aussi s'aventurer du côté d'une société privée, **Domtar** *(395 boul. De Maisonneuve O.)*, dont le jardin situé rue De Bleury, ouvert au public, renferme une sculpture en bois, *Écho* **(17** 🖼**)** (2001), de Michel Saulnier. En route vers la rue Sainte-Catherine, vous croiserez la rue Mayor, petite artère réputée pour ses commerces de fourrure, le **Cinéma Impérial** *(1432 rue De Bleury)*, majestueux bâtiment de style Beaux-Arts célèbre pour son décor, son rideau de scène et ses balcons, et adopté comme quartier général par plus d'un festival de cinéma, ainsi que les studios vitrés de **MusiquePlus** *(335 rue Sainte-Catherine O.)*, la populaire chaîne de télé.

🦢 *À la rue Sainte-Catherine, petit retour vers l'est.*

La **Maison du Festival Rio Tinto Alcan (18** 🎵**)** *(305 rue Sainte-Catherine O.)* est la vitrine permanente du jazz et du festival qui e promeut à Montréal, été après été, depuis

plus de 30 ans. Située dans un édifice classé historique, le Blumenthal, elle abrite des salles de spectacle et des aires d'exposition, ainsi qu'un bistro et une boutique. Créée en 2009 afin de pouvoir offrir du «jazz à l'année», la Maison accueille néanmoins plus d'un genre musical, notamment grâce à **L'Astral (18** 🎵**)**, sa principale vitrine. Celle-ci n'est peut-être pas encore de l'envergure du mythique Spectrum, salle qui faisait face au Blumenthal et dont il ne reste aujourd'hui qu'un lot vacant, mais elle figure déjà sur les cartes des artistes et de leurs admirateurs.

Revenez à la rue De Bleury et empruntez-la pendant quelques mètres sur le trottoir ouest.

Le Gesù (19 🎵**)** *(1202 rue De Bleury)*, c'est avant tout une église, une des plus vieilles de Montréal – elle a été érigée en 1865. À notre époque où les fidèles se font rares, elle est surtout fréquentée dans sa partie souterraine, là où se trouve une des salles de spectacle les plus chaleureuses de la ville. Le hall d'accueil et des aires connexes servent quant à eux de lieux d'exposition. Ouvert toute l'année, le Gesù attire ses foules surtout en période de festivals.

🦢 *De retour à la rue Sainte-Catherine, dirigez-vous*

1. Circa : Caroline Cloutier, *Dédale*, 2012, installation photographique, impression numérique, dimensions variables. © *Photo : Caroline Cloutier*
2. Optica : Raymonde April, *Mon regard est net comme un tournesol* (détail), 1979-2002, photographie, dimensions variables. © *Photo : Richard-Max Tremblay, courtoisie Raymonde April*
3. Galerie B-312 : Mireille Lavoie, *Datcha*, 2011, sculpture *in situ*. © *Photo : Paul Litherland.*

Le Belgo

[complexe culturel, art actuel, galeries privées]

Vous voilà rendu au point le plus chaud en ville, en termes de nombre d'expositions à voir. On ne visite pas le **Belgo (20 👁)** *(372 rue Sainte-Catherine O.)* à la légère. Ne le prenez pas mal, il n'est pas question de ne pas y prendre son pied. Seulement, il faut être aguerri et suffisamment en forme si l'on veut tout voir. Et à bien y penser, mieux vaut parcourir les quatre étages de galeries le plus léger possible. L'intensité y est à ce point palpable qu'il règne au Belgo une chaleur à faire suer, littéralement.

Le parcours idéal se fait du haut vers le bas. Au cinquième étage, les galeries **Roger Bellemare et Christian Lambert (20 👁)** *(espaces 501 et 502)*, qui se partagent identités et deux vastes locaux, sont un bon point de départ. Leurs expositions, souvent sur le ton de la retenue et du minimalisme, poussent à ouvrir les esprits et les tenir grands ouverts. Le centre d'artistes **Optica**

(20 👁) *(espace 508)*, jadis axé sur la photographie, carbure à tous les genres. Face à lui, la galerie **SBC (20 👁)** *(espace 507)*, enseigne indépendante non marchande, y va souvent de propositions thématiques ou rétrospectives fort rafraîchissantes.

Le reste de l'étage est à cette image rassembleuse et éclatée : de petits espaces discrets suivis de galeries plus spacieuses et réputées – **Joyce Yahouda (20 👁)** *(espace 516)*, **Trois Points (20 👁)** *(espace 520)* –, d'un nouveau joueur – galerie **Nicolas Robert (20 👁)** *(espace 524)* –, puis, au bout du corridor, de deux espaces très distincts, la galerie privée **Donald Browne (20 👁)** *(espace 528)* et **Les Territoires (20 👁)** *(espace 527)*, diffuseur porté vers les jeunes pratiques.

Le quatrième étage, similaire par le nombre et la variété de diffuseurs qui s'y trouvent, est presque une réplique du cinquième. Les deux extrémités

3

sont occupées par deux centres d'artistes, la **Galerie B-312 (20)** *(espace 403)*, à la programmation très diversifiée, et **Circa (20)** *(espace 444)*, dédié à la sculpture, un des derniers diffuseurs spécialisés. Entre les deux, les galeries **Lilian Rodriguez (20)** *(espace 405)*, **Laroche/Joncas (20)** *(espace 410)* et **[sas] (20)** *(espace 416)* animent, chacune selon ses moyens, le marché de l'art. On y retrouve aussi quelques curiosités comme la **Maison Kasini (20)** *(espace 408)*, la galerie **Visual Voice (20)** *(espace 421)* et **Arprim (20)** *(espace 426)*, le regroupement pour la promotion de l'art imprimé. Notez que la galerie Visual Voice publie un journal bilingue en ligne, au www.thebelgoreport.com, entièrement consacré au Belgo.

Le troisième étage est déjà plus dégagé, mais non moins diversifié : la galerie **Hugues Charbonneau (20)** *(espace 308)*, petite enseigne marchande, côtoie **Skol (20)** *(espace 314)*, un des centres d'artistes les moins conformistes, qui, lui, avoisine les bureaux de l'**Association des galeries d'art contemporain (20)** *(espace 318)*. À ces trois

visages de l'art actuel montréalais, il faut ajouter le **Studio 303 (20)** *(espace 303)*, un laboratoire où se mélangent danse, théâtre, cirque, humour et arts visuels.

Le deuxième étage n'est pas le moindre. Et bon nombre de visiteurs préfèrent commencer ici, puisqu'il abrite une des galeries les plus actives et stimulantes, **Pierre-François Ouellette art contemporain (20)** *(espace 216)*. Avec ses locaux tempérés, elle est aussi une des plus agréables à visiter. Une jasette avec le propriétaire est d'ailleurs toujours de mise. Une autre galerie mérite le détour à cet étage, **Art 45 (20)** *(espace 220)*, mais attention, elle n'ouvre que les vendredis et samedis. Planifiez votre visite, cette petite galerie axée sur la photographie monte des expositions fort intéressantes.

Si vous n'avez pas assez à zieuter ainsi un art après l'autre, sachez que le Belgo renferme aussi des écoles de danse et d'arts martiaux, dont une dédiée à la capoeira. Après ça, si la chaleur ne vous a pas envahi...

Art Souterrain

[événement, art public, circuit en réseau]

Le centre-ville de Montréal, comme toute grande métropole, fourmille d'art au travers de ses rues marchandes et de ses centres commerciaux. Ces œuvres ne sont pas toutes dignes de mention, certaines ne dépassent pas le statut d'ornement, d'autres sont issues de la lointaine époque de la statuaire. Sachez cependant que les projets audacieux ne manquent pas. L'événement **Art Souterrain** *(début mars)* en est le meilleur exemple, lui qui exploite le réseau de corridors qui relient, souvent sous la rue, de multiples tours de commerces et de bureaux du centre-ville.

Ce sont des kilomètres et des kilomètres d'œuvres qui sont étalés. Activité phare de la de la Nuit blanche à Montréal, Art Souterrain est aussi une expo en bonne et due forme qui réunit, pendant 15 jours, les forces vives de la création locale. Depuis 2012, des contingents d'artistes hors Québec en font également partie.

À coups de propositions très diversifiées (installations cinétiques, projections vidéo, séries photographiques, peintures ou sculptures grand format, ainsi que dessins miniatures et interventions sonores), l'exposition bouscule les habitudes de ceux qui circulent entre la Place des Arts et le Centre Eaton, sans compter des pôles plus au sud. Avec elle, l'espace public prend une tout autre dimension.

Le **Centre Eaton de Montréal (21** **)** *(705 rue Sainte-Catherine O.)*, lui, a pris ces dernières années un rôle moteur dans la promotion de l'art dans les voies souterraines de Montréal. Ses corridors, ses espaces ouverts et parfois ses locaux accueillent des projets d'art, dont certaines œuvres permanentes comme celles du collectif En Masse. Pour les artistes, c'est une visibilité difficile à trouver ailleurs : chaque année, quelque 26 millions de personnes déambulent à travers les cinq étages de cette destination du centre-ville, l'une des portes d'entrée du Montréal souterrain. À partir du centre Eaton et du projet districtmontreal.com, qui se fait le relais d'initiatives artistiques et culturelles au cœur de Montréal, vous pourrez prendre votre élan pour partir à la découverte d'un « réseau d'art » permanent au centre-ville et dans le Vieux-Montréal. Vingt-deux sites sont répertoriés.

Après avoir creusé les corridors souterrains, pourquoi ne pas s'envoler dans les airs ? Du haut de ses 45 étages, la **Place Ville-Marie** *(1 Place Ville-Marie, au sud de la rue Sainte-Catherine)* propose une vue panoramique de Montréal. Réalisé au tournant des années 1960 par I.M. Pei, aujourd'hui « starchitecte », cet édifice phare de Montréal – entre autres par le gyrophare placé sur son toit – loge dans ses sommets un restaurant et un *bar-lounge* avec terrasse.

1. Œuvres du collectif En Masse dans les corridors du Centre Eaton de Montréal.
   © Photo : District Montréal
2. *Nébuleuses*, œuvre réalisée par France Dubois à partir d'images de la NASA, pour la mosaïque d'écrans dans l'Espace Culturel Georges-Émile-Lapalme de la Place des Arts.
   © Photo : Philippe Thomas
3. Nicolas Baier, *Autoportrait*, 2012. © Photo: Richard-Max Tremblay

Notez cependant, au pied de la tour – sur l'esplanade entre les deux principaux bâtiments et, plus précisément, devant le 5 Place Ville-Marie –, l'œuvre *Autoportrait* (22 ◪) (2012), de Nicolas Baier, une installation figurant une salle de réunion en aluminium chromé, brillante comme un miroir. Imposante dans son cube de verre, l'œuvre célèbre la Place Ville-Marie et son poids architectural dans l'histoire de Montréal. Pour son auteur, connu pour sa pratique de la photographie, *Autoportrait* a une grande signification, puisqu'elle le confirme comme un artiste très polyvalent, capable de travailler aussi les trois dimensions.

Carnet d'adresses créatif

Arts visuels

Centre Dare-Dare
horaires et emplacements variables; 514-849-3273,
www.dare-dare.org

Le 2.22
lun 10h à 18h, mar-sam 9h à 20h, dim 10h à 18h;
2 rue Sainte-Catherine E., www.le2-22.com

Art 45
ven-sam 12h à 17h; 372 rue Sainte-Catherine O.,
espace 220, 514-817-0436, www.art45.ca

Art actuel 2.22
heures d'ouverture variables; 2 rue Sainte-Catherine E.,
www.artactuel2-22.com

Arprim
mer-sam 12h à 17h; 372 rue Sainte-Catherine O.,
espace 426, 514-525-2621, www.arprim.org

Artexte
mer-ven 12h à 17h, sam 12h à 19h; 2 rue Sainte-
Catherine E., espace 301, 514-874-0049, artexte.ca

Belgo
heures d'ouverture variables; 372 rue Sainte-Catherine O.,
www.thebelgoreport.com

Circa
mer-sam 12h à 17h30; 372 rue Sainte-Catherine O.,
espace 444, 514-393-8248, www.circa-art.com

Galerie B-312
mar-sam 12h à 17h; 372 rue Sainte-Catherine O.,
espace 403, 514-874-9423, www.galerieb-312.qc.ca

Galerie Donald Browne
mer-sam 12h à 17h; 372 rue Sainte-Catherine O.,
espace 528, 514-380-3221,
www.galeriedonaldbrowne.com

Galerie Hugues Charbonneau
mer-sam 12h à 17h; 372 rue Sainte-Catherine O.,
espace 308, 514-409-0068, huguescharbonneau.com

Galerie Joyce Yahouda
jeu-sam 12h à 17h; 372 rue Sainte-Catherine O.,
espace 516, 514-875-2323,
www.joyceyahoudagallery.com

Galerie Lilian Rodriguez
mer-ven 12h à 17h30, sam 12h à 17h; 372 rue Sainte-
Catherine O., espace 405, 514-395-2245,
www.galerielilianrodriguez.com

Galerie Nicolas Robert
mer-sam 12h à 17h; 372 rue Sainte-Catherine O.,
espace 524, 514-373-2027, galerienicolasrobert.com

**Galeries Roger Bellemare et Christian
Lambert**
mar 12h à 17h, mer-sam 11h à 17h; 372 rue Sainte-
Catherine O., espaces 501 et 502, 514-871-0319,
www.rogerbellemare.com, www.galeriechristianlambert.com

Galerie [sas]
lun-ven 9h à 17h, sam 12h à 17h; 372 rue Sainte-
Catherine O., espace 416, 514-878-3409,
www.galeriesas.ca

Galerie Trois Points
mar-ven 12h à 18h, sam 12h à 17h; 372 rue
Sainte-Catherine O., espace 520, 514-866-8008,
galerietroispoints.qc.ca

Laroche/Joncas
mer-ven 11h30 à 18h, sam 11h à 17h; 372 rue Sainte-
Catherine O., espace 410, 514-570-9130,
www.larochejoncas.com

Maison Kasini
mer-sam 11h à 17h30, jeu jusqu'à 19h; 372 rue Sainte-
Catherine O., espace 408, 514-448-4723,
www.maisonkasini.com

Musée d'art contemporain de Montréal
mar-sam 11h à 18h, mer jusqu'à 21h; 185 rue Sainte-
Catherine O., 514-847-6226, www.macm.org

Optica
mar-sam 12h à 17h; 372 rue Sainte-Catherine O.,
espace 508, 514-874-1666, www.optica.ca

Pierre-François Ouellette art contemporain
mer-sam 10h à 17h30; 372 rue Sainte-Catherine O.,
espace 216, 514-395-6032, www.pfoac.com

SBC
mer-sam 12h à 17h; 372 rue Sainte-Catherine O., espace 507, 514-861-9992, www.sbcgallery.ca

Skol
mar-ven 12h à 17h30, sam 12h à 17h; 372 rue Sainte-Catherine O., espace 314, 514-398-9322, www.skol.ca

Les Territoires
mar-sam 12h à 17h; 372 rue Sainte-Catherine O., espace 527, 514-789-0545, www.lesterritoires.org

Visual Voice Gallery
mer-sam 12h à 17h30; 372 rue Sainte-Catherine O., espace 421, 514-878-3663, visualvoicegallery.com

Vox, centre de l'image contemporaine
mar-ven 12h à 19h, sam 11h à 17h; 2 rue Sainte-Catherine E., espace 401, 514-390-0382, www.voxphoto.com

Arts numériques

Société des arts technologiques
mar-ven 17h à 22h; 1201 boul. Saint-Laurent, 514-844-2033, www.sat.qc.ca

Arts de la scène

Monument-National
1182 boul. Saint-Laurent, 514-871-2224, www.monumentnational.com

Place des Arts
260 boul. De Maisonneuve O., 514-842-2112, www.pda.qc.ca

Studio 303
372 rue Sainte-Catherine O., espace 303, 514-393-3771, www.studio303.ca

Théâtre du Nouveau Monde
84 rue Sainte-Catherine O., 514-866-8668, www.tnm.qc.ca

Musique

L'Astral
305 rue Sainte-Catherine O., 514-288-8882, www.sallelastral.com

Club Soda
1225 boul. Saint-Laurent, 514-286-1010, www.clubsoda.ca

Coopérative de travail Les Katacombes
1635 boul. Saint-Laurent, 514-861-6151, www.coopkatacombes.com

Foufounes Électriques
87 rue Sainte-Catherine E., 514-844-5539, www.foufounes.qc.ca

Le Gesù, centre de créativité
1202 rue De Bleury, 514-861-4036, www.legesu.com

Maison du Festival Rio Tinto Alcan
305 rue Sainte-Catherine O., 514-288-8882, www.maisondufestival.com

La Maison symphonique de Montréal
1600 rue Saint-Urbain, 514-842-2112, www.pda.qc.ca

Métropolis
59 rue Sainte-Catherine E., 514-844-3500, www.montrealmetropolis.ca

Le Savoy du Métropolis
59 rue Sainte-Catherine E., 514-844-3500, www.lesavoy.ca

Regroupements culturels

Association des galeries d'art contemporain
372 rue Sainte-Catherine O., espace 318, 514-798-5010, new.agac.qc.ca

Regroupement des centres d'artistes autogérés du Québec
2 rue Sainte-Catherine E., espace 302, 514-842-3984, www.rcaaq.org

Bars, cafés, commerces

Birks, bijouterie, 1225 rue du Square-Phillips

Brasserie T, bistro, 1425 rue Jeanne-Mance

Café du Nouveau Monde, bistro, 84 rue Sainte-Catherine O.

Centre Eaton, boutiques et restos, 705 rue Sainte-Catherine O.

F Bar, bistro, 1485 rue Jeanne-Mance

Formats, librairie, 2 rue Sainte-Catherine E.

Le Balmoral, bistro, 305 rue Sainte-Catherine O.

Le Grand Comptoir, restaurant, 1225 rue du Square-Phillips

Cinéma Impérial, cinéma, 1432 rue De Bleury

Las Américas, librairie, 2075 boul. Saint-Laurent

Montréal Pool Room, resto, 1217 boul. Saint-Laurent

Place Ville-Marie, boutiques et aire de restauration, 1 Place Ville-Marie

Le Vieux Dublin, pub, 636 rue Cathcart

La Vitrine, billetterie, 2 rue Sainte-Catherine E.

QUARTIER CONCORDIA, CENTRE-VILLE OUEST

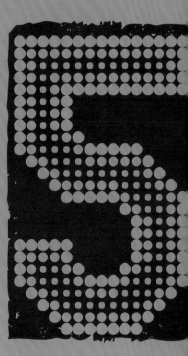

L'architecture avec un grand A
Le Westmount Square de Ludwig Mies van der Rohe (© Succession Lüdwig Mies Van der Rohe / SODRAC, 2013)
et le jardin du CCA par Melvin Charney (© Succession Melvin Charney / SODRAC, 2013).
© Photo : Denis Farley

L'offre culturelle au centre-ville ne se limite pas au Quartier des spectacles, loin de là. Ce circuit propose de vous en faire découvrir la partie ouest et de vous conduire jusqu'à la municipalité voisine de Westmount. Le secteur est dominé par ce que l'on désigne depuis peu comme le Quartier Concordia.

Dans ce territoire, plus hétéroclite que la partie est du centre-ville, cohabitent plusieurs couches sociales, entre la population étudiante de Concordia et les férus de mondanités. Quand la Formule 1 débarque en juin à Montréal, la rue Crescent devient sa principale vitrine promotionnelle, où, pendant une semaine, les hôtesses à petite robe se multiplient comme par magie.

La rue Sainte-Catherine abonde en boutiques à la mode, et on y accourt pour faire ses emplettes. Les cafés où étudier et la « macbouffe » où s'alimenter entre deux cours, ou deux séances de magasinage, se côtoient naturellement. Et l'art dans tout ça, trouve-t-il place dans la tête des gens?

Avec des institutions majeures comme le Musée des beaux-arts de Montréal et le Centre Canadien d'architecture, avec la créativité qui émane de l'Université Concordia dont la Faculté des beaux-arts offre neuf programmes toutes disciplines confondues (théâtre et musique compris), le secteur n'est pas démuni pour attirer les consommateurs de culture.

Quartier Concordia, centre-ville ouest

↘ **Combien de temps?**

Pour l'ensemble du parcours: une journée

↘ **Segments**

À l'est du Musée des beaux-arts: 45 min

Musée des beaux-arts de Montréal: 2h30

Quartier Concordia et CCA: 3h

À l'ouest du CCA: 1h

↘ **Comment?**

Parcours à pied

Arts numériques: —

Art public: ★★★★

Arts visuels: ★★★★★

Arts de la scène: —

Design: ★★★

Musique: —

1	Station Peel	
2	*Solstice*	
3	Espacio México	
4	Musée des beaux-arts de Montréal (MBAM)	
5	Salle Bourgie	
	L'Œil	
6	Galerie Leonard et Bina Ellen	
7	Pavillon de Génie, informatique et arts visuels	
	Acer Concordiae	
	FoFA – Faculty of Fine Arts	
	Sans titre	
8	VAV Gallery	
9	Centre Canadien d'Architecture (CCA)	
	Jardin du Centre Canadien d'Architecture	
10	Square Cabot	
11	Galerie d'Este	
12	Galerie de Bellefeuille	

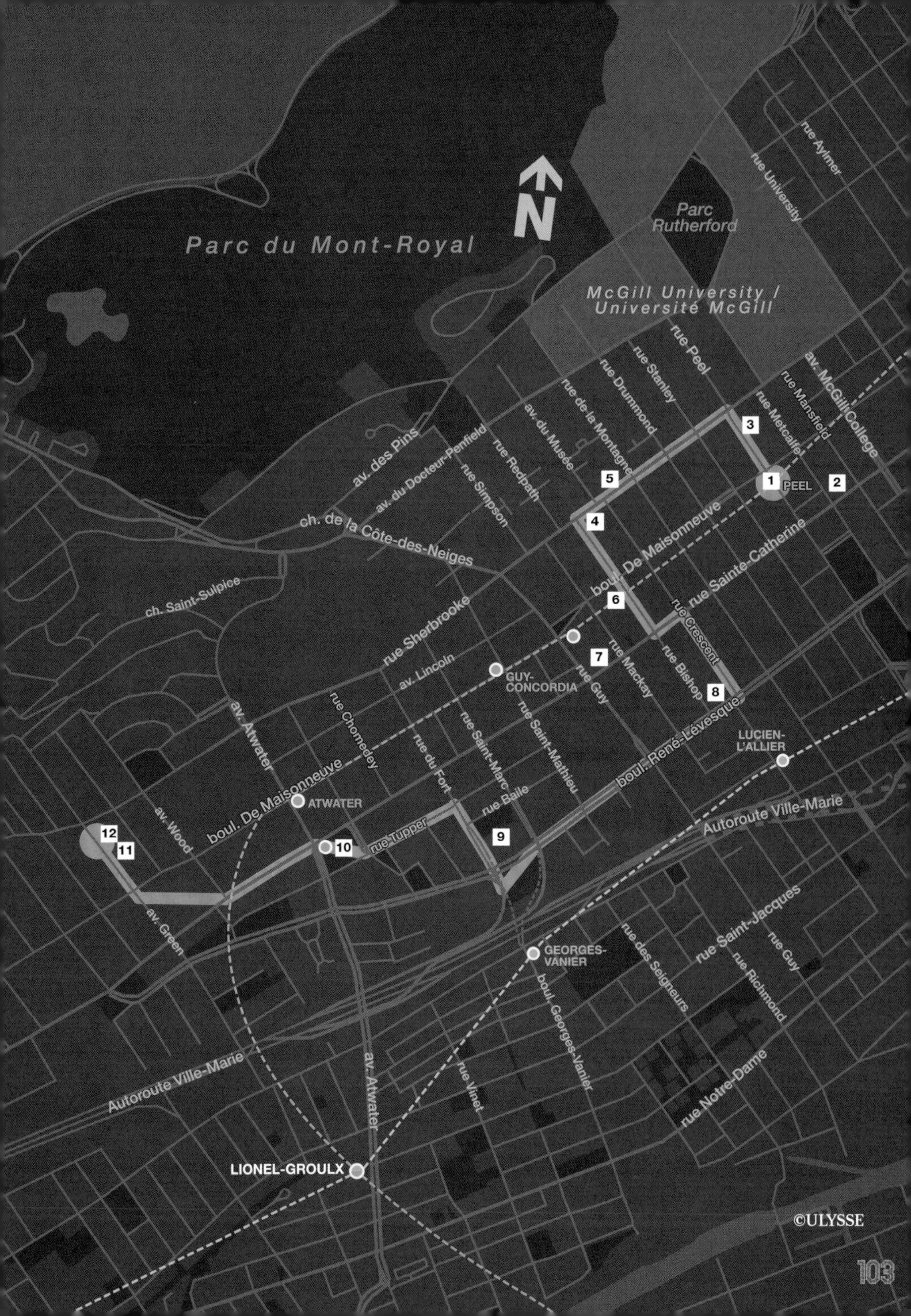
Parc du Mont-Royal
N
Parc Rutherford
McGill University /
Université McGill
rue Aylmer
rue University
rue Peel
rue Stanley
rue Drummond
rue de la Montagne
av. du Musée
rue Redpath
rue Simpson
av. du Docteur-Penfield
av. des Pins
ch. de la Côte-des-Neiges
ch. Saint-Sulpice
rue Metcalfe
rue Mansfield
av. McGill College
PEEL
boul. De Maisonneuve
rue Sainte-Catherine
rue Crescent
rue Bishop
rue Mackay
rue Guy
rue Sherbrooke
av. Lincoln
GUY-
CONCORDIA
rue Chomedey
rue du Fort
rue Saint-Marc
rue Saint-Mathieu
boul. René-Lévesque
LUCIEN-
L'ALLIER
av. Atwater
av. Wood
boul. De Maisonneuve
ATWATER
rue Baile
rue Tupper
Autoroute Ville-Marie
av. Green
GEORGES-
VANIER
boul. Georges-Vanier
rue des Seigneurs
rue Saint-Jacques
rue Richmond
rue Guy
rue Notre-Dame
rue Vinet
av. Atwater
Autoroute Ville-Marie
LIONEL-GROULX
1
2
3
4
5
6
7
8
9
10
11
12
©ULYSSE

À l'est du Musée des beaux-arts

[art public, boutiques haut de gamme, bijoux architecturaux]

☙ *Le parcours débute à la station de métro Peel, au niveau des guichets.*

Le métro de Montréal jouit d'une vaste collection d'art, et on trouve, à la **station Peel (1)**, un des meilleurs exemples d'intégration. L'endroit est animé de 54 cercles, notoires par leurs bandes étroites colorées et composées de multiples morceaux de céramique. Posés au sol ou sur les murs, certains cachés par des aménagements récents, ils sont signés Jean-Paul Mousseau, artiste derrière la murale lumineuse d'Hydro-Québec. L'art dans le métro est assez bien documenté *(www.stm.info/metro/art/index.htm)* : ceux qui voudraient parcourir l'ensemble du réseau à la recherche des œuvres seront heureux de le savoir.

Parmi les œuvres permanentes à signaler ailleurs, notons *Solstice* **(2)** (1999), au magasin **Simons** *(977 rue Sainte-Catherine O.)*. Cet immense mobile coloré de Guido Molinari est une adaptation en panneaux translucides de la peinture géométrique du monstre sacré de l'abstraction québécois. L'œuvre surplombe les escaliers mécaniques au cœur de la boutique.

☙ *Rue Peel, marchez vers le nord jusqu'à la rue Sherbrooke.*

Le consulat du Mexique possède en l'**Espacio México (3)** *(2055 rue Peel)* un des seuls centres de diffusion reliés à un établissement diplomatique. Montréal n'est pas Paris, à ce niveau. Ici, dans ce local vitré et accessible directement de la rue, ou presque, les expositions mettent l'accent sur l'art contemporain mexicain, présenté, de plus en plus souvent, à travers le prisme d'un commissaire montréalais.

☙ *Tournez à gauche dans la rue Sherbrooke et marchez jusqu'à la rue Crescent.*

La section de cette grande artère que vous traverserez est parsemée d'adresses prestigieuses propres aux racines bourgeoises du secteur, le Golden Square Mile. Lieux de luxe et architectures grandioses se côtoient. Vous passerez notamment devant l'hôtel **Ritz-Carlton** *(1228 rue Sherbrooke O.)*, véritable bijou architectural désormais centenaire – visitez l'intérieur! –, la succursale montréalaise de **Holt-Renfrew** *(1300 rue Sherbrooke O.)*, détaillant de vêtements haut de gamme fondé à Québec il y a 175 ans, et **Le Château** *(1321 rue Sherbrooke O.)*, complexe résidentiel fortifié, érigé en 1925 dans le même style que le Château Frontenac de Québec.

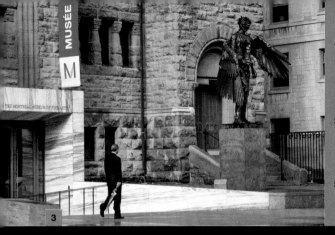

1. Un des cercles composés de morceaux de céramique colorés de l'artiste Jean-Paul Mousseau qu'on retrouve à la station de métro Peel.
© Succession Jean-Paul Mousseau / SODRAC (2013)
Photo : Philippe Thomas
2. L'œuvre *Solstice* de Guido Molinari, installée au cœur du magasin Simons sur la rue Sainte-Catherine.
© Succession Guido Molinari / SODRAC (2013)
© Photo : Archives Simons
3. Le Pavillon Bourgie du Musée des beaux-arts de Montréal et la sculpture *L'œil* (2011) de David Altmejd.
© Photo : Denis Farley

Le Musée des beaux-arts de Montréal

[pôle culturel, architecture, art public]

Vénérable institution, le **Musée des beaux-arts de Montréal (MBAM) (4 ◉)** *(1380 rue Sherbrooke O.)* est de plus en plus dans une classe à part au Québec. Il ne possède pas un ni deux pavillons, mais bien quatre, bientôt cinq. Ce qui lui donne une plus grande marge de manœuvre au moment d'exposer sa collection permanente, point névralgique des musées.

Tous les courants sont dans la ligne de mire du MBAM, de l'Antiquité à l'art contemporain. Parmi les particularités de ses trésors, soulignons sa collection d'arts décoratifs, ses 3 000 pièces d'art canadien et québécois, dont 500 œuvres inuites. Sous la direction de la dynamique Nathalie Bondil, en poste depuis 2007, le musée s'est aussi montré très inclusif, ouvrant ses portes comme jamais auparavant aux univers de la mode et, surtout, de la musique.

Le MBAM possède depuis 2011 une salle de concerts à rendre jaloux : la richesse de son acoustique et son environnement architectural, hérité de l'église presbytérienne qui prenait place à cet endroit, en font un précieux bijou. Gérée par Arte Musica, une fondation indépendante, la **salle Bourgie (5 ♫)** *(1339 rue Sherbrooke O.)* offre un décor unique, composé de 20 vitraux de Tiffany, pour la musique de chambre et les petits ensembles.

Le développement immobilier du MBAM a permis un meilleur déploiement de ses collections. Y compris hors les murs. Baladez-vous sur l'avenue du Musée, fermée à la circulation automobile pendant l'été. Le musée s'est bâti là, avec les années, un parc de sculptures qui comprend 22 œuvres, un des plus importants ensembles d'art public de la métropole. Ce jardin en béton, bronze ou granit, survole une histoire de la sculpture, de Rodin à David Altmejd, artiste québécois dont *L'Œil (5 ▧)* (2011), une œuvre haute de près de 4 m, monte la garde devant le Pavillon Bourgie.

➤ *De l'avenue du Musée, marchez vers l'ouest dans la rue Sherbrooke jusqu'à la rue Bishop.*

Le MBAM a été fondé en 1860, aux débuts du Golden Square Mile, quartier développé par les classes bourgeoises. Avec les années, et l'expansion de l'Université Concordia voisine, le secteur s'est diversifié et ouvert à des populations très éclectiques. Les commerces huppés, notamment les galeries très sélectes et coincées dans un art BCBG, n'en sont pas pour autant disparus dans les environs du musée. Le secteur a parfois une réputation guindée, du type de la rue Rivoli à Paris, comme l'a déjà suggéré Pierre Foglia, chroniqueur-vedette du journal *La Presse* à la plume bien aiguisée.

1. La galerie FoFA de l'Université Concordia.
   © Photo : Denis Farley
2. *Seascape and the Sublime* de Holly King, à l'intérieur du pavillon de Génie, informatique et arts visuels de l'Université Concordia.
   © Photo : Denis Farley
3. À l'intérieur du McConnell Building de l'Université Concordia.
   © Photo : Denis Farley
4. Galerie Leonard et Bina Ellen : vue de l'exposition *INTERACTIONS*, 2012.
   © Photo : Paul Litherland

1

L'Université Concordia
[galeries, art actuel, art public]

L'Université Concordia mène depuis le tournant des années 2000 un plan immobilier qui a totalement transformé son quartier. L'appellation Quartier Concordia ne découle pas tant d'un programme marketing que d'une prise en charge par l'institution de son environnement.

Le campus, qui s'étale en plusieurs pavillons dans un rayon d'environ 600 m, est truffé d'art, entre des œuvres permanentes, et de galeries dotées de programmations qui n'ont rien de superficielles. Voilà un menu qui rompt avec l'image véhiculée par les marchands d'art autour du Musée des beaux-arts.

Localisée dans le pavillon qui abrite la bibliothèque universitaire, le **McConnell Building** *(1400 boul. De Maisonneuve O.)*, la **Galerie Leonard et Bina Ellen (6 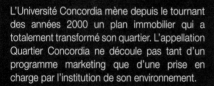)** *(salle LB-165)* est la plus importante des trois que l'on retrouve sur le campus. Ses expositions et ses publications prennent souvent valeur de références partout au pays. Elle a même presque un statut de musée, puisqu'elle est dotée d'une riche collection d'art québécois et canadien.

L'entrée de la galerie est située à l'intérieur du pavillon, mais si vous passez par la rue Bishop, pensez à observer le bâtiment à façade blanche en terre cuite, un monument classé historique. La galerie Leonard et Bina Ellen se trouve juste derrière la porte verte, non fonctionnelle, qui se dresse au bout de quelques marches.

Notez également dans le même pavillon la présence du **cinéma J. A. de Sève**, autrefois salle de répertoire fort courue, aujourd'hui animée surtout par le groupe étudiant Cinema Politica.

↘ *Dans le hall du pavillon, un escalier mène vers des corridors souterrains. Descendez et dirigez-vous vers le tunnel.*

Ce tunnel, qui longe le boulevard De Maisonneuve, relie ce secteur de l'Univesité Concordia au métro et au **pavillon de Génie, informatique et arts visuels (7 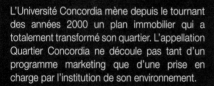)** *(1515 rue Sainte-Catherine O.)*, identifié par les lettres *EV*. Depuis 2011, il n'est plus un autre banal et ténébreux passage souterrain. Une œuvre y a été installée qui a le mérite d'accompagner le marcheur sur plusieurs mètres. *Acer Concordiae* **(7 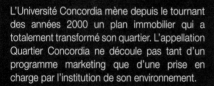)**, de Kamila Wozniakowska, n'est pas un tableau de grandes dimensions, plutôt une série de petites plaques gravées en acier. Il y en a 52, 26 de chaque côté, et elles illustrent, à la manière ancienne si typique à l'artiste, la croissance d'un arbre imaginaire

(le *Acer Concordia*), métaphore de la place grandissante de l'institution universitaire dans la ville et dans la société québécoise.

L'Université Concordia possède une quarantaine d'œuvres d'art public, et plusieurs d'entre elles se trouvent dans le pavillon de génie. En arrivant par le tunnel, les gens frôlent **Seascape and the Sublime** (2005) de Holly King, photographie hautement picturale et illusoire, et, une fois en haut de l'escalier, **Heads of Engineering** (2008) de Geraldo Pace, une série de portraits-machines.

Sur ce même étage, dans le corridor menant vers la rue Mackay, on retrouve une autre des galeries du campus, la plus officielle d'entre elles. La **FoFA** – pour Faculty of Fine Arts – **(7 ◉)** *(salle EV 1-715)* bénéficie ainsi du prestigieux corps professoral, des gens de réputation tels que l'artiste Geneviève Cadieux ou l'historienne de l'art Martha Langford. L'enseigne n'est pas qu'un espace galerie. Le corridor abrite une longue vitrine, dont se sert la FoFA pour exposer des projets inusités, conçus pour cet espace incongru.

↘ *Dehors, marchez sur le trottoir de la rue Saint-Catherine en direction est. Arrivé à la rue Bishop, retournez-vous.*

1

2

4

De là où vous êtes – et même de plus loin –, vous aurez une vue imprenable sur la plus impressionnante œuvre du pavillon de génie. Il s'agit d'une photographie imprimée sur verre, et disposée sur une multitude de panneaux sur la façade est du bâtiment. *Sans titre (7* *)* (2003) est une œuvre de Nicolas Baier, réalisée en collaboration avec le cabinet Braun-Braën, qui reproduit une plante, non sans la distordre.

Pour visiter la troisième galerie, il faut marcher un peu. Rue Sainte-Catherine, continuez vers l'est jusqu'à la rue Crescent. Tournez à droite et marchez jusqu'au boulevard René-Lévesque.

En décembre, avant de filer vers le boulevard René-Lévesque, prenez le temps de marcher une rue de plus vers l'est pour aller admirer la traditionnelle vitrine de Noël du prestigieux grand magasin **Ogilvy** *(1307 rue Sainte-Catherine O.)*. Le paysage hivernal qui s'anime là, véritable installation cinétique, a tout pour vous séduire, sans chercher à vous vendre un seul produit. Il n'en existe pas de semblable à Montréal.

La **VAV Gallery (8** **)** *(1395 boul. René-Lévesque O.)* se trouve au rez-de-chaussée d'un autre pavillon de l'Université Concordia, dans un local avec vue sur la rue. Gérée par les étudiants en arts visuels, et avec mission d'exposer leurs travaux, elle représente, pour eux, une magnifique plateforme et, pour les visiteurs, une précieuse fenêtre sur l'art de demain.

↘ *Continuez vers l'ouest sur le boulevard René-Lévesque, sur une distance d'environ 600 m, jusqu'à la rue Saint-Marc.*

En chemin, observez les traces du Montréal de jadis. Sur un coup d'œil derrière vous, de l'autre côté du boulevard René-Lévesque, vous apercevrez au loin une pinte de lait géante, un résidu de l'industrie laitière des années 1930. À l'angle de la rue Guy, vous passerez devant l'hôtel **Maritime Plaza** *(1155 rue Guy)*, remarquable par sa rotonde surélevée, digne des expérimentations formelles des années 1960.

↘ *À l'angle de la rue Saint-Marc, traversez le boulevard René-Lévesque.*

3

1. Le bâtiment principal du Centre Canadien d'Architecture. © Photo : Denis Farley
2. La maison Shaughnessy, construite en 1875 et aujourd'hui intégrée au Centre Canadien d'Architecture. © Photo : Denis Farley
3. Le jardin du Centre Canadien d'Architecture. © Succession Melvin Charney / SODRAC, 2013. Photo : Denis Farley
4. Le jardin du Centre Canadien d'Architecture. © Succession Melvin Charney / SODRAC, 2013. Photo : Denis Farley

Le jardin du Centre Canadien d'Architecture (CCA)

[art public, architecture, belvédère]

Le site aménagé ici à la fin des années 1980, et connu comme le **jardin du Centre Canadien d'Architecture (9 🖼)** (1987-1990), répare quelque peu la fracture urbaine apparue lors du grand chantier autoroutier des années 1960. C'est l'artiste et architecte Melvin Charney, décédé en 2012, qui a agi alors en docteur appelé à la rescousse. Le Jardin... est probablement son chef-d'œuvre.

Charney a non seulement animé l'endroit d'une série de sculptures allégoriques, mi-humaines, mi-architectures, il a aussi dessiné une véritable esplanade avec fonction de belvédère. Si l'ensemble des structures prend des airs de mise en scène de théâtre, la vue, elle, est bien réelle. Splendeur et commentaire critique s'y entremêlent.

Le **Centre Canadien d'Architecture (CCA) (9 🅳)** (1920 rue Baile) se trouve tout juste devant « son » jardin. En fait, c'est la maison Shaughnessy, bâtiment patrimonial de 1875, qui fait face à l'œuvre de Charney. Cette demeure bourgeoise compose la partie arrière du CCA. Pour visiter l'établissement, ses expositions, sa bibliothèque, sa librairie et la maison Shaughnessy elle-même, il faut en faire le tour.

Inauguré au tournant des années 1990, le CCA est à la fois centre de recherche et lieu de diffusion. Ses collaborations avec des institutions du type de la Frank Lloyd Wright Foundation ou de MIT Press en font un des musées canadiens de grande réputation internationale. Ses expositions, qui dépassent souvent le cadre de l'architecture, permettent de jeter un regard critique et nécessaire sur les sociétés urbaines.

1

À l'ouest du CCA

[architecture moderne, enclave commerciale distinguée]

↘ *Du CCA, prenez la rue du Fort vers le nord, puis tournez à gauche dans la rue Tupper. Rendez-vous au square Cabot.*

Le **square Cabot (10 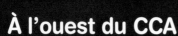)** *(entre les rues Tupper et Sainte-Catherine, et entre la rue Lambert-Closse et l'avenue Atwater)* n'est pas le plus réputé des parcs, mais il est doté depuis peu d'un ensemble fort heureux de sculptures en matériaux recyclés. Elles ont été réalisées par Glenn Le Mesurier, artiste de la ferraille bien connu dans le quartier du Mile-End. Cherchez les sculptures : toujours à la verticale, elles sont dispersées aux quatre coins du square.

De l'autre côté de la rue Sainte-Catherine se dresse, toujours monumental malgré son changement de vocation, le **Forum** *(2313 rue Sainte-Catherine O.)*. C'est là que le club de hockey Le Canadien a connu ses meilleures années, qu'il a bâti sa réputation et fait de ses joueurs des dieux. Or, le club a quitté l'historique enceinte en 1996 pour une autre plus centrale. Aujourd'hui, l'endroit abrite un complexe de cinéma et autres commerces. Et il y en a qui croient que les fantômes du Canadien y habitent toujours.

↘ *Rue Sainte-Catherine, poursuivez vers l'ouest jusqu'à l'avenue Wood. Vous entrez dans la ville de Westmount.*

Les tours d'habitation qui se dressent devant vous forment un bijou architectural. Il s'agit du **Westmount Square** *(4 Westmount Square)*, une des rares réalisations à Montréal de Ludwig Mies van der Rohe, le célèbre père du style international – les autres étant un complexe résidentiel et une station d'essence à l'Île-des-Sœurs. Inauguré en 1967, le Westmount Square fait partie de ces projets immobiliers qui ont transformé la ville lors de l'historique décennie.

2

⬊ *Le Westmount Square possède ses corridors souterrains. On vous suggère de les emprunter et de suivre les indications menant à l'avenue Greene, dernier arrêt du circuit.*

La **Galerie d'Este (11 👁)** *(1329 av. Greene)* et la **Galerie de Bellefeuille (12 👁)** *(1367 av. Greene)* se font concurrence en même temps qu'elles s'appuient l'une sur l'autre. L'avenue Greene, petite enclave commerciale pour gens distingués, fournit son lot de potentiels collectionneurs. Ce sont eux que les deux galeries se disputent. Par contre, les amateurs d'art d'autres quartiers attirés par l'une des deux enseignes n'hésiteront pas à faire un deuxième arrêt chez la « concurrente ». Tant qu'à faire le déplacement...

La Galerie de Bellefeuille fait beaucoup, depuis plus de 30 ans, pour garder vivant à Montréal le marché de l'art. Elle est d'ailleurs une des seules, sinon la seule, à ouvrir les sept jours de la semaine. Artistes étrangers et locaux bénéficient de cette maison de prestige, alors que les visiteurs, qu'ils achètent ou n'y entrent que pour « zieuter », sont traités aux petits soins.

Fondée dans les années 2000, la Galerie d'Este jouit, elle, du dynamisme des plus jeunes entreprises. L'aire ouverte de son local permet d'ailleurs plus de souplesse dans l'accrochage des œuvres et invite largement à l'échange et au dialogue.

3

Carnet d'adresses créatif

👁 Arts visuels

Espacio México
lun-ven 11h à 13h et 14h à 17h; 2055 rue Peel,
consulmex.sre.gob.mx/montreal/index.php/fr/
galerie-espacio-mexico

FoFA Gallery
lun-ven 11h à 19h; 1515 rue Sainte-Catherine
O., espace EV 1-715, 514-848-2424, poste 7962,
fofagallery.concordia.ca

Galerie de Bellefeuille
lun-sam 10h à 18h, dim 12h à 17h30; 1367 av. Greene,
514-933-4406, www.debellefeuille.com

Galerie d'Este
mar-ven 10h à 18h, sam 10h à 17h, dim 12h à 17h;
1329 av. Greene, 514-846-1515,
www.galeriedeste.com

Galerie Leonard et Bina Ellen
mar-ven 12h à 18h, sam 12h à 17h; 1400 boul. De
Maisonneuve O., espace LB-165, 514-848-2424, poste
4750, ellengallery.concordia.ca

Musée des beaux-arts de Montréal
mar-ven 11h à 17h, mer jusqu'à 21h, sam-dim 12h à
17h; 1380 rue Sherbrooke O., 514-285-2000,
www.mbam.qc.ca

VAV Gallery
lun-ven 9h à 21h, sam 12h à 17h; 1395 boul. René-
Lévesque O., 514-848-2424, poste 7956, vavgallery.
concordia.ca

Design

Centre Canadien d'Architecture
mer-dim 11h à 18h; jeu jusqu'à 21h; 1920 rue Baile,
514-939-7026, www.cca.qc.ca

🎵 Musique

Salle de concerts Bourgie
1339 rue Sherbrooke O., 514-285-2000,
www.mbam.qc.ca/salle-bourgie

Bars, cafés, commerces

Café Myriade, 1432 rue Mackay

Café Presto, trattoria, 1244 rue Stanley

Ferreira Café, restaurant, 1446 rue Peel

Forum, complexe de cinéma, 2313 rue Sainte-
Catherine O.

Holt-Renfrew, grand magasin, 1300 rue
Sherbrooke O.

Kafein, café-bar, 1429 rue Bishop

Kazu, restaurant, 1862 rue Sainte-Catherine O.

Newtown, restaurant, 1476 rue Crescent

Ogilvy, grand magasin, 1307 rue Sainte-Catherine O.

Oink Oink, boutique de jouets, 1343 av. Greene,
Westmount

Peel Pub, pub, 1196 rue Peel

Ritz-Carlton, hôtel, 1228 rue Sherbrooke O.

Simons, grand magasin, 977 rue Sainte-Catherine O.

Thali, restaurant, 1409 rue Saint-Marc

SUD-OUEST, LACHINE

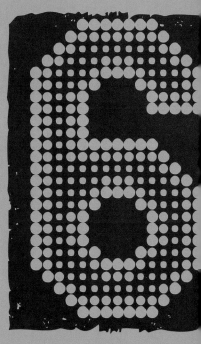

Rencontres art/nature
Les œuvres *Dex* de Henry Saxe (© Henry Saxe / SODRAC, 2013) et *Site/Interlude* de David Moore
(© David Moore / SODRAC, 2013) aux abords du fleuve à Lachine.
© Photo : Denis Farley

L'arrondissement du Sud-Ouest réunit plusieurs des quartiers qui ont fait l'objet ces dernières années d'importantes transformations immobilières. Saint-Henri, Petite-Bourgogne, Griffintown... Ces anciens secteurs populaires et ouvriers sont aujourd'hui convoités par des populations plus aisées. Et les usines d'hier font place aux condos de luxe.

La présence d'une vie culturelle plus notoire n'est pas étrangère à ce phénomène. Depuis le début du millénaire, les (bons) exemples de recyclage architectural ne manquent pas. Le changement de vocation des lieux industriels en centres d'art ne cesse de se multiplier, et le dernier en date, le complexe Arsenal, en est aussi le plus imposant. La résurrection de l'historique Théâtre Corona a aussi fait sa part pour attirer à nouveau, ou de manière nouvelle, les regards sur le Sud-Ouest.

Avec ses 45 œuvres d'art public disséminées un peu partout sur son territoire, le secteur n'est plus seulement un paysage urbain de pierres, d'écuries et de cheminées. Entre la nécessité de protéger ce patrimoine et la volonté de soutenir des formes plus novatrices, l'arrondissement du Sud-Ouest ne véhicule pas de grands paradoxes. Il se présente davantage comme un des poumons culturels de la ville, soucieux à la fois de son passé et de son avenir.

L'âme culturelle de ces quartiers ne date pas d'aujourd'hui. Gabrielle Roy s'est inspirée de Saint-Henri pour planter l'action de son célébrissime *Bonheur d'occasion* (1945). Les monstres sacrés du jazz que sont Oliver Jones et Oscar Peterson sont des enfants de la Petite-Bourgogne.

Le parcours se termine à Lachine, où s'entremêlent plein air, sculptures monumentales et théâtre urbain à hauteur d'humain.

Sud-Ouest, Lachine

↘ Combien de temps?

Pour l'ensemble du parcours: une journée ou deux demi-journées

↘ Segments

Griffintown/Petite-Bourgogne (de l'Arsenal au Centre Saint-Ambroise): 2h30

Escapade en métro jusqu'à la Galerie McClure dans Westmount: 40 min

Saint-Henri et Ville-Émard (de la maison de la culture Marie-Uguay au parc Angrignon): 1h30

Lachine (métro et bus): 4h

↘ Comment?

Parcours à pied, en bus et en métro, avec option vélo

Suggestion en métro: escapade à la Galerie McClure, dans Westmount (station Vendôme)

Apportez votre bécane: randonnée sur la piste cyclable du canal de Lachine. Du marché Atwater à l'extrémité ouest du parc Summerlea, à Lachine, un circuit de 15 km.

Arts numériques: —

 Art public: ★★★★

 Arts visuels: ★★★★

 Arts de la scène: ★★

 Design: ★

 Musique: ★★★

1	Arsenal
	Galerie Division
2	Galerie Antoine Ertaskiran
3	*À la croisée des mots*
4	Théâtre Corona
5	*Les Allusifs*
6	*Monument à la Pointe*

7	Les Ateliers Jean-Brillant
8	PARISIAN LAUNDRY
9	Hôtel des encans
10	Galerie McClure du Centre des arts visuels
11	Centre St-Ambroise
12	Maison de la culture Marie-Uguay

13	Boulevard Monk
14	*Murales*
15	Musée de Lachine
16	L'Entrepôt

15,16

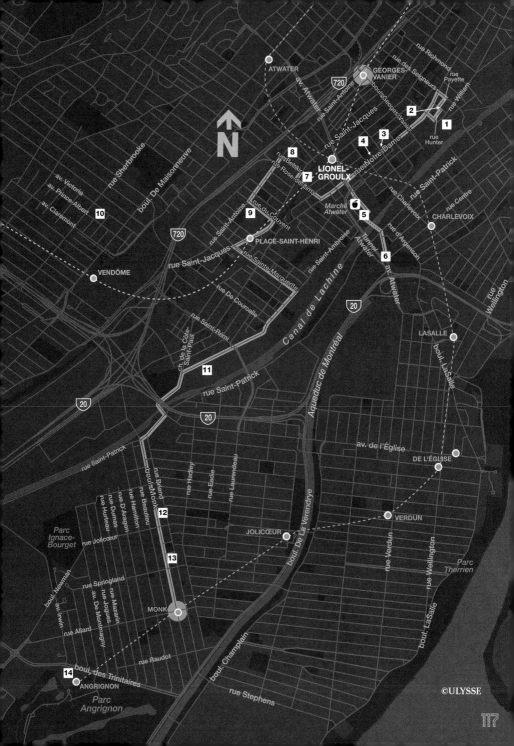

L'Arsenal
[complexe culturel, recyclage architectural, art actuel]

↘ *À la sortie de la station de métro Georges-Vanier, empruntez le boulevard Georges-Vanier jusqu'à la rue Notre-Dame. Tournez à gauche et, avant même la rue suivante, sur la droite, se dresse le complexe Arsenal. Comptez une dizaine de minutes de marche depuis la station.*

Tel un paquebot chargé d'idées et de fric, l'**Arsenal (1 ⬚)** *(2020 rue William)* s'est amarré en 2011 dans Griffintown, ce quartier ouvrier en pleine ébullition. Il a pris place dans un ancien chantier naval avec la volonté de transformer, pour le mieux, le paysage montréalais de l'art contemporain. Il est un digne point de départ pour ce circuit, d'autant plus qu'il est un des rares diffuseurs à ouvrir en matinée.

Comme dans les meilleurs cas de recyclage architectural, l'Arsenal respire à la fois la robustesse du passé et la délicatesse d'un aménagement actuel. Son trait distinctif : un immense rez-de-chaussée, en profondeur et en hauteur, caractérisé par sa porte de garage et son pont industriel de 10 tonnes, encore fonctionnel. Cette salle est disposée à s'adapter à plus d'un événement, exposition de pointe ou réception mondaine.

À l'Arsenal, il y a toujours quelque chose à voir. Si son grand hangar ne vous en donne pas l'occasion, à l'étage, les murs exposent de manière permanente des collections privées, et une petite salle, bien confortable, sert souvent à la projection d'œuvres vidéo. Mais il faut aussi se rendre jusqu'au fond, pour plonger dans les expositions de la **Galerie Division**.

Entité indépendante, la Galerie Division est une de celles qui ont fondé l'Arsenal – l'autre, la Galerie René Blouin, a quitté le bateau depuis. Elle assure aussi le sérieux de l'entreprise, avec, dans son équipe, des artistes de la trempe de la photographe Isabelle Hayeur, du touche-à-tout Michel de Broin ou du peintre Barry Alikas.

↘ *Une fois dehors, passez par la rue Hunter pour vous rendre jusqu'à la rue Chatham, où vous aboutirez à une troisième petite rue, Payette.*

La **Galerie Antoine Ertaskiran (2 ⬚)** *(1892 rue Payette)* est une des plus jeunes galeries à Montréal. Ouverte depuis l'été 2012, elle bénéficie certes de l'aimant que représente le complexe Arsenal pour les amateurs d'art. Or, par sa taille, elle souffre de la comparaison. Ne vous fiez pas aux apparences. Derrière cette (autre) porte de garage, sous cet (autre) changement de vocation d'un bâtiment, l'endroit est non seulement des plus chaleureux, il permet aussi une meilleure proximité avec les œuvres. La nouvelle enseigne ne manque d'ailleurs pas de goût et s'est associée à des artistes, sinon d'une belle maturité (Mathieu Beauséjour, Michael A. Robinson), parmi les plus prometteurs (Jacynthe Carrier, Jacinthe Lessard-L.).

↘ *Revenez à la rue Notre-Dame et marchez vers l'ouest.*

Prenez note que la rue Notre-Dame est un peu l'âme des antiquaires. Même si l'artère a perdu une bonne partie de cette identité – le brocanteur semble être un métier en voie de disparition –, il reste quelques commerces remplis des objets d'hier, tant à l'est de l'Arsenal qu'à l'ouest.

Le **centre culturel Georges-Vanier** *(2450 rue Workman)*, tout près de l'angle formé des rues Notre-Dame et Vinet, abrite la plus ancienne bibliothèque publique francophone du Canada. L'œuvre *À la croisée des mots* **(3 ⬚)** *(2007)*, de Lucie Duval, une spectaculaire sculpture verticale et en spirales devant le bâtiment, rend hommage à la nature linguistique de l'établissement.

Le **Théâtre Corona (4 ⬚⬚)** *(2490 rue Notre-Dame O.)* est un lieu chargé d'histoire, souvent menacé d'être détruit, mais aujourd'hui les deux pieds bien ancrés dans l'actualité musicale de Montréal. À sa naissance en 1912, il était un des lieux où découvrir le cinéma muet. Les amateurs de burlesque et de vaudeville l'ont ensuite pris d'assaut, faisant du Corona un des théâtres les plus fréquentés. Pour les gens du quartier, il représentait un lieu rassembleur, le seul en dehors des églises. Jusque dans les années 1960, alors

Sud-Ouest, Lachine

L'Arsenal.
© Photo : Jean-Sébastien Grégoire, Arsenal.

que le Corona a commencé à péricliter. Ce n'est que dans les années 1990 qu'il a repris vie et est redevenu, après sa restauration en l'an 2000, un lieu chéri. Son acoustique en fait une salle idéale pour les spectacles.

Pendant ses années d'abandon, le Théâtre Corona a néanmoins réussi à attirer l'attention, pour de bonnes raisons. Ça s'est passé autour de son 75e anniversaire, sous l'effet d'une intervention éphémère dirigée par les artistes Martha Fleming et Lyne Lapointe. Le spectacle-installation *La Donna Delinquenta* (1987) a non seulement été un moment fort pour le milieu de l'art contemporain québécois, il a aussi permis de redécouvrir le Corona. Quelque

part, cet événement, qui consistait en un dédale de surprises visuelles à travers l'enceinte, a marqué le début de sa renaissance.

Vous êtes rendu à la pause-café? Tant mieux, parce que vous passez devant le **Lili & Oli** *(2515 rue Notre-Dame O.)*, dont les arômes d'espresso s'arriment bien avec le rustique du décor. Chaleur et goût vous attendent ici, avec un des meilleurs cafés non seulement du quartier, mais aussi de toute l'île.

↘ *Rue Atwater, vous apercevrez, sur la gauche, le marché public au style Art déco, majestueux phare du quartier avec sa tour de l'horloge.*

Les environs du marché Atwater

[commerces, art public, plein air]

Comme le marché Jean-Talon, son grand frère du nord de la ville, le **marché Atwater** *(138 av. Atwater)* est une ruche de produits frais et du terroir. Ouvert toute l'année, il s'attribue une qualité supplémentaire l'été, avec la présence toute proche du canal de Lachine. En temps de canicule, l'attrait de l'eau est irrésistible. Prenez garde car l'endroit est fréquenté par les cyclistes; une des plus belles pistes cyclables de Montréal côtoie en effet le canal.

Des projets d'art public sont à signaler. Dans les environs immédiats du marché, sur la voie qui mène au pont piétonnier qui enjambe le canal, on retrouve presque côte à côte les panneaux du Mouvement art public, un organisme voué à la diffusion d'expositions de photos. À leur droite, à travers huit petits ensembles, l'œuvre permanente *Les Allusifs* **(5 ◪)** (2002), de Jacek Jarnuszkiewicz, rend hommage en mots et en éléments allégoriques à Saint-Henri, son histoire, ses protagonistes, ses identités, de la musique à la littérature populaire, de l'industrie du cuir au transport, de la maison d'ouvrier à la demeure bourgeoise, de Gabrielle Roy à Yvon Deschamps.

Une deuxième œuvre permanente anime le secteur. Elle se trouve par contre dans le quartier voisin, Pointe-Saint-Charles, à quelque 500 m de marche du petit pont. **Monument à la Pointe (6** **)** (2001), de Gilles Mihalcean, s'inscrit dans le paysage, en hauteur, et évoque, de manière plus abstraite, les origines irlandaises, ouvrières et industrielles des lieux. Impossible de le rater : il occupe le centre du rond-point au bout de la rue Thomas-Keefer. Sa monumentalité et sa composition par strates de couleur en font un beau sujet à photographier. À noter, par ailleurs, que l'école **Photographie tous azimuts** *(2855 rue du Centre)* se trouve juste à côté.

↘ *Revenez au marché Atwater et rendez-vous à la rue Notre-Dame. Tournez à gauche et marchez jusqu'à la rue Rose-de-Lima.*

Un autre coin café à retenir se trouve à quelques pas à l'ouest de la rue Rose-de-Lima. **Le Saint-Henri** *(3632 rue Notre-Dame O.)*, un micro-torréfacteur réputé et adepte de la vulgarisation, offre même des séances et des ateliers de dégustation.

↘ *Empruntez la rue Rose-de-Lima jusqu'à la rue Saint-Jacques.*

Les **Ateliers Jean-Brillant (7** **)** *(661 rue Rose-de-Lima)* sont une espèce rare à Montréal. Ni galerie ni centre d'exposition, plutôt un endroit alternatif ouvert à toutes les disciplines, né par une volonté d'explorer de nouvelles voies de production et de diffusion de la création. Comme beaucoup d'autres organismes culturels du quartier, ils logent dans un autre bâtiment du patrimoine industriel qui a été transformé pour des fins culturelles. Les salles sont souvent louées à d'autres – Le Mois de la Photo à Montréal y a tenu sa 11e édition en 2009 – mais les Ateliers Jean-Brillant organisent, avec Chantier libre, leur propre festival, éclaté et rassembleur : performances, concerts-cocktails, ateliers de bande dessinée, nuit de poésie...

↘ *Rue Saint-Jacques, marchez vers l'est jusqu'à la rue Bel-Air, que vous emprunterez jusqu'au bout.*

1. *Monument à la Pointe*, de Gilles Mihalcean.
   © Photo : Philippe Thomas
2. *Les Allusifs*, de Jacek Jarnuszkiewicz.
   © Photo : Philippe Thomas
3. Les Ateliers Jean-Brillant. © Photo : Denis Farley

1

PARISIAN LAUNDRY
[galerie privée, recyclage architectural, bunker]

Figure de proue du «nouveau» quartier Saint-Henri, dans le sud-ouest de Montréal, la galerie **PARISIAN LAUNDRY (8 👁)** *(3550 rue Saint-Antoine O.)* prend pied dans une ancienne blanchisserie de 1400 m² magnifiquement reconvertie à la diffusion de l'art contemporain sous toutes ses formes. Ses grandes salles à aire ouverte en font un endroit approprié pour les œuvres de grandes et de très grandes dimensions, ainsi que pour des expositions de vastes ensembles.

Peu importe le type d'art à l'honneur lors de votre visite – sculpture, peinture, installation, photographie ou un mélange de tout cela –, le lieu sera toujours partie intégrante d'une expérience à la fois esthétique et émotive. Ses résidus industriels, ses fenêtres lumineuses, son acoustique... Difficile ne pas être sensible au cadre qui entoure les œuvres.

Inaugurée en 2005, la PARISIAN LAUNDRY possède aussi, dans ses entrailles, une salle unique, hors normes, cube sans fenêtres, bloc de briques et de béton auquel on accède au bout d'un étroit et très bas corridor. L'endroit a des airs de bunker – et c'est ainsi qu'on le désigne. Cet abri loin des yeux, autrefois chambre de machines de la buanderie, a souvent inspiré des interventions des plus audacieuses.

De retour du sous-sol, n'hésitez pas à visiter la petite cour arrière de la galerie – demandez à ce qu'on vous le permette si la porte est fermée. Avec son gazon synthétique, déjà, elle annonce la suite. Se cache là, de manière permanente, une des œuvres les plus téméraires et osées, pour ne pas dire répugnantes, et malgré tout très justes. L'installation *La mouche et le sucre* (2007), une cabane digne des classiques points de vente de crème glacée, est un commentaire incisif sur les sociétés versées dans les excès et les futilités. Il s'agit d'une réalisation de BGL, collectif réputé pour son humour noir, et auteur autrement d'une des plus mémorables expositions dans les salles de la galerie.

↘ *Poursuivez vers l'ouest dans la rue Saint-Antoine sur quelque 500 m, jusqu'à la rue du Couvent. En chemin, vous remarquerez une des meilleures traces de l'embourgeoisement de Saint-Henri. Les installations de l'Imperial Tobacco, jadis gros employeur du secteur, sont devenues des condos de luxe.*

L'**Hôtel des encans (9 👁)** *(872 rue du Couvent)*, connu aussi par le prénom de son coloré fondateur, Iegor De Saint Hippolyte, est une des plus célèbres maisons québécoises de ventes aux enchères. Elle n'a pas toujours eu un lieu fixe, mais depuis 2004, sa demeure est magnifique : l'ancienne église de Saint-Henri.

1. **PARISIAN LAUNDRY.** © Photo: Nicolas Ruel, avec la permission de PARISIAN LAUNDRY
2. La Galerie McClure du Centre des arts visuels: œuvres de David Elliott.
© Photo: Andrée Anne Vien, Galerie McClure

datant de 1926. Sa conversion a été saluée d'un prix Orange en 2006, et c'est désormais dans ce cadre encore empreint de solennité que se déroulent les ventes menées par maître legor.

↘ *La station de métro Place-Saint-Henri se trouve à 5 min. Rendez-vous-y par la rue du Couvent et, à droite, par la rue Saint-Jacques.*

À partir de la station Place-Saint-Henri, plusieurs options s'offrent à vous. Un peu au nord, dans Westmount, la **Galerie McClure du Centre des arts visuels (10 ◉)** *(350 av. Victoria)* se trouve à une station de distance (Vendôme) ou à une bonne vingtaine de minutes de marche, une randonnée peu banale à travers un quartier résidentiel et sous l'autoroute Ville-Marie. Autrefois club de céramistes pour la communauté anglophone, ce centre est fréquenté par une vaste population. Et sa galerie, charmant petit espace, se distingue par une programmation qui reflète, en toute liberté, des préoccupations propres à l'art actuel.

Au sud, toujours dans ce secteur marqué du passé ouvrier et industriel, loge un point chaud de la diffusion culturelle du Sud-Ouest. À une vingtaine de minutes à pied de la station Place-Saint-Henri, le **Centre St-Ambroise (11 🎵◉)** *(5080-A rue Saint-Ambroise)*, antenne de la brasserie locale McAuslan, offre une vaste programmation où se

rencontrent musique, cinéma, littérature et arts visuels. Mais c'est surtout avec ses spectacles, de musique folk notamment, qu'il s'est bâti une solide réputation.

↘ *Vous pouvez revenir sur vos pas pour prendre le métro à la station Place-Saint-Henri. Par contre, vous pouvez aussi poursuivre et aller au sud du canal de Lachine. Marchez vers l'ouest dans la rue Saint-Ambroise jusqu'au bout. Arrivé au chemin de la Côte-Saint-Paul, tournez à gauche et continuez dans cette rue, passez sous l'autoroute Décarie. Empruntez les escaliers à votre gauche, puis le petit pont vert. Attention, une piste cyclable passe dessus. De l'autre côté du pont, vous vous retrouverez dans le quartier Côte-Saint-Paul. Poursuivez vers l'ouest dans la rue Saint-Patrick jusqu'au boulevard Monk, dans le quartier Ville-Émard. Vous aurez alors fait 1 km à pied depuis le Centre St-Ambroise.*

Le boulevard Monk est une des principales artères commerciales de Ville-Émard. Elle est aussi son principal attrait culturel, puisqu'on y trouve la maison de la culture et la bibliothèque. Toutes les deux partagent le même bâtiment et le même patronyme, Marie-Uguay, du nom de la poétesse, décédée à 26 ans en 1981, qui a vécu dans le quartier. Même si sa programmation n'est pas exclusive aux artistes des environs, la **maison de la culture Marie-Uguay (12 🎵◉)** *(6052 boul. Monk)* leur fait une belle place, peu importe qu'ils soient peintres, musiciens ou écrivains.

À l'automne 2012, le **boulevard Monk (13 )** s'est aussi mis au parfum des expositions plein air du Mouvement art public (MAP). Contrairement aux autres sites occupés par le MAP, notamment celui en bordure du marché Atwater, Ville-Émard a droit à un ensemble davantage pensé pour lui. Le «projet de revitalisation par l'art public», qui présente des photographies d'espaces intérieurs, s'appuie en effet sur les murs aveugles du boulevard.

La dizaine d'œuvres apposées ici et là sur des supports auto-éclairées s'apprécient davantage à la tombée du jour. Profitez de la marche jusqu'à la station de métro Monk, à l'angle de la rue Allard, pour les débusquer. Notez cependant que cette expo de longue durée n'est pas permanente.

↘ *Prenez le métro et rendez-vous au bout de la ligne verte, à la station Angrignon.*

L'extrémité ouest de Ville-Émard recèle, dans le parc Angrignon qui jouxte la station de métro éponyme, un bijou champêtre à vous faire oublier la ville. Si autrefois il était une destination familiale de mise – il abritait un zoo –, ce parc dit à l'anglaise garde tous ses charmes pour des activités de plein air, été comme hiver.

Côté art public, cependant, il faut presque tourner le dos au **parc Angrignon**. Ce n'est pas non plus la station de métro qu'on vous pointera, mais le garage jaune à sa gauche. Cette très longue structure porte sur ses parois extérieures la signature de Jean-Paul Mousseau, artiste de la cuvée automatiste qui a émergé avec la publication du manifeste *Refus global* (1948). Bien présent dans le réseau du métro – de ses interventions dans quatre stations, les 54 cercles de la station Peel sont les plus connus – Mousseau s'est servi du garage Angrignon comme d'une toile où s'intercalent de grands pans de couleurs. Si c'est du haut des airs que l'on a la meilleure vue de ces **murales (14 )** (1977), il est possible d'en apprécier la monumentalité en longeant le bâtiment, qui borde le parc Angrignon.

↘ *Plusieurs autobus relient la station de métro Angrignon à Lachine. Pour se rendre au Musée de Lachine, il est conseillé de prendre les autobus 110 ou 495.*

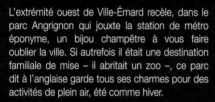

1

Lachine
[musée, parc de sculptures, théâtre de rue]

L'arrondissement de Lachine, voisin de celui du Sud-Ouest, est un attrait naturel pour les sportifs. Les adeptes du vélo y accourent par la voie cyclable qui longe le canal de Lachine depuis le Vieux-Montréal, alors que les fanas de sports nautiques y trouvent aussi leur pied. Ici le fleuve Saint-Laurent s'élargit pour faire place au lac Saint-Louis.

Cette proximité privilégiée avec le fleuve, le **Musée de Lachine (15 )** *(1 ch. du Musée)*, dont la mission est essentiellement archéologique, l'exploite à merveille par sa vaste collection de sculptures publiques, réparties le long des berges qui se trouvent à proximité. Cet ensemble, qui compte plus de 50 œuvres, est connu comme le **Musée de plein air de Lachine** et tire ses origines des trois symposiums de sculpture tenus dans cette partie de la ville dans les années 1980.

La collection fait côtoyer plusieurs genres, entre les structures élancées et allégoriques caractéristiques de Michel Goulet et les masses et volumes imposants propres à David Moore. Cherchez les deux œuvres de Bill Vazan, chef de file du *land art* québécois; elles sont parmi celles qui s'intègrent le

1. Musée de plein air de Lachine : Lisette Lemieux / *Regard sur le fleuve.* © Photo : Denis Farley
2. Festival de théâtre de rue de Lachine : Corpus / *Nuit blanche.* © Photo : Isabelle L'Italien

mieux à cet environnement de nature. Vu l'étendue de ce musée sans toit – près de 7 km –, l'idéal est de le visiter à vélo – ou en patins. À pied, certes, la promenade sera agréable, mais prévoyez du temps. Chose certaine, les points de vue ne manquent pas : l'appareil photo ne sera pas inutile.

Les œuvres sont regroupées dans trois secteurs : le parc René-Lévesque, une presqu'île recherchée pour le panorama qu'elle offre ; les environs du Musée de Lachine, dont le bâtiment principal côtoie le canal ; et les différents parcs riverains qui se succèdent sur le boulevard Saint-Joseph. Une brochure existe, en format imprimé et en PDF. C'est un précieux guide, ne serait-ce que pour se faire une idée de l'ampleur de ce territoire de création.

Les sites historiques abondent le long du boulevard Saint-Joseph, et un tour guidé, notamment celui des écluses en kayak, peut être à considérer lors d'une visite l'été.

C'est dans cet environnement de plein air, d'histoire et de culture, que se déroule depuis 2008 le

Festival de théâtre de rue de Lachine *(juin).* Anciennement tenu dans la ville de Shawinigan, en Mauricie, l'événement exploite les différentes facettes des arts urbains, en particulier celles de la fête foraine, de la mixité et de l'audace, pour ne pas dire du culot. Performances, spectacles, théâtre, musique, danse, on peut retrouver de tout dans ce festival qui, vous l'aurez compris, se déroule à ciel ouvert. En 2012, les « aventures multidisciplinaires » ont pris d'assaut le parc Saint-Louis (angle boul. Saint-Joseph et 34e Avenue), un de ceux qui accueillent les sculptures du Musée de plein air de Lachine.

Notez également que **L'Entrepôt (16** 🎵👁🎭**)** *(2901 boul. Saint-Joseph),* un bâtiment en pierre de 1860 construit pour la défunte brasserie Dawes, désigne désormais un centre culturel de quartier, surtout apprécié pour sa salle de spectacle de 300 places. Des expositions temporaires s'y tiennent au rez-de-chaussée, alors que dans les voûtes, le Musée de Lachine présente une exposition permanente sur la bière et sa dépendance à la publicité.

Carnet d'adresses créatif

👁 Arts visuels

Arsenal
mar-ven 10h à 18h, sam 10h à 17h; 2020 rue William, 514-931-9978, arsenalmontreal.com

Les Ateliers Jean-Brillant
horaire variable; 661 rue Rose-de-Lima, 514-567-8804, lesateliersjeanbrillant.com

Galerie Antoine Ertaskiran
mar-sam 10h à 17h; 1892 rue Payette, 514-989-7886, www.galerieantoineertaskiran.com

Galerie Division
mar-ven 10h à 18h, sam 10h à 17h; 2020 rue William, 514-938-3863, www.galeriedivision.com

Galerie McClure du Centre des arts visuels
mar-ven 12h à 18h, sam 11h à 17h; 350 av. Victoria, 514-488-9558, www.visualartscentre.ca/fr/galerie-mcclure

Maison de la culture Marie-Uguay
mar-mer 13h à 19h, jeu 13h à 18h, ven-dim 13h à 17h; 6052 boul. Monk, 514-872-2044, www.accesculture.com

Musée de Lachine
mer-dim 12h à 17h, avril à novembre; 1 ch. du Musée, 514-634-3478, www.accesculture.com

Musée de plein air de Lachine
tous les jours, du lever au coucher du soleil; site du Musée de Lachine, parc René-Lévesque et parcs riverains

PARISIAN LAUNDRY
mar-sam 12h à 17h; 3550 rue Saint-Antoine O., 514-989-1056, www.parisianlaundry.com

🎵 Musique

Centre St-Ambroise
5080-A rue Saint-Ambroise, 514-939-3060, mcauslan.com/fr/centre-stambroise

L'Entrepôt
2901 boul. Saint-Joseph, Lachine

Théâtre Corona
2490 rue Notre-Dame O., 514-931-2088, www.theatrecorona.com

Bars, cafés, commerces

Brasserie McAuslan, 5080 rue Saint-Ambroise, Saint-Henri

Fromagerie Atwater, marché Atwater, Saint-Henri

Saint-Henri micro-torréfacteur, café, 3632 rue Notre-Dame O., Saint-Henri

Lily & Oli, café, 2515 rue Notre-Dame O., Petite-Bourgogne

Marché Atwater, 138 av. Atwater, Saint-Henri

Photographie tous azimuts, école, 2855 rue du Centre, Pointe-Saint-Charles

Pizza Mia, marché Atwater, Saint-Henri

QUARTIER INTERNATIONAL, VIEUX-MONTRÉAL, LES ÎLES

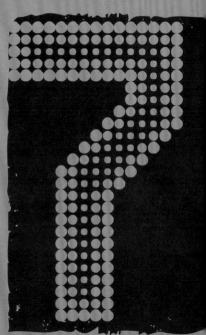

Réappropriation des abords du fleuve
Architecture de paysage et design urbain de Claude Cormier et Associés inc.(*Plage de l'horloge* et *Le hérisson*).
© Denis Farley

É talé sur un vaste territoire au sud du centre-ville et accessible à partir de trois stations de métro, le Vieux-Montréal a plus d'une porte d'entrée. Ce secteur touristique chargé d'histoire, bien naturellement, est bordé par celui des affaires, baptisé le Quartier international, par celui des nouvelles technologies, dit Cité du multimédia, et par le Vieux-Port, autant de secteurs de la ville que le présent circuit permet d'explorer.

Chose moins publicisée, exempte d'étiquette, le Vieux-Montréal et ses quartiers voisins sont aussi des quartiers d'arts. Musées, galeries, fondation privée ou coop d'artistes, innombrables exemples d'art public, mais aussi théâtres, salles de cinéma et de spectacle, ainsi qu'événements pluridisciplinaires en plein air, se retrouvent dans et autour du patrimoine architectural, souvent mis au service de leur cause.

Nulle part ailleurs sur l'île, il n'y a autant de cas de recyclage de bâtiments, convertis en lieux culturels. Trois casernes de pompiers érigées au début du XXe siècle abritent aujourd'hui des centres d'exposition. Parmi d'autres anciennes vocations, signalons un marché, des banques, une tour à bureaux et, le cas le plus apprécié, une fonderie.

Par ces multiples identités, cette portion de la ville attire une population très diversifiée, jeune et branchée, si, mais aussi mûre et sérieuse – le palais de justice et l'hôtel de ville sont des ruches de gens en cravate ou en tailleur. Les familles, locales, sont aussi bien visibles dans les rues en pierre : le *Vieux* n'est pas qu'une destination pour touristes. On y accourt avec fréquence, preuve que l'offre culturelle y est parmi les plus intéressantes.

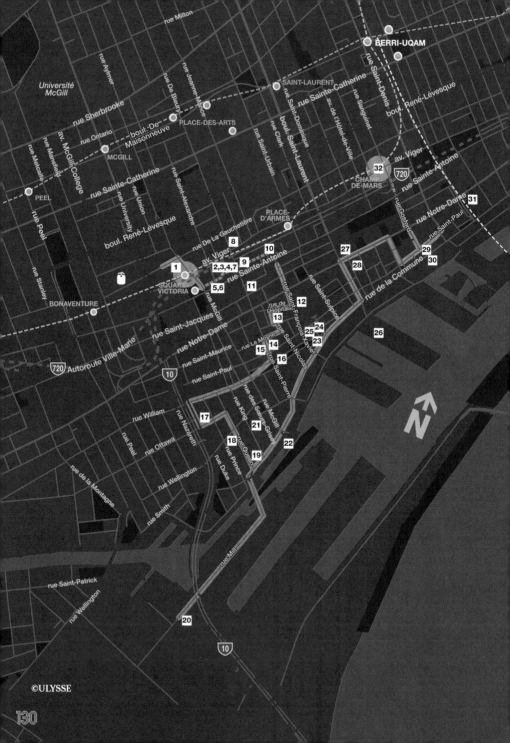

©ULYSSE

Quartier international, Vieux-Montréal, les Îles

↘ Combien de temps?

Pour l'ensemble du parcours:
une journée ou deux demi-
journées

↘ Segments

Quartier international: 2h30

Vieux-Montréal (de la rue Saint-
Jacques au Centre d'histoire de
Montréal): 1h30

La Cité du multimédia (incluant
Espace Verre): 1h45

Le secteur du Vieux-Port (de
Pointe-à-Callière au Marché
Bonsecours): 2h

Le parc Jean-Drapeau: 2h30

↘ Comment?

Parcours à pied et en métro

Apportez votre bécane: le parc
Jean-Drapeau est idéal pour
le vélo

 Arts numériques: ★★★

 Art public: ★★★★★

 Arts visuels: ★★★★★

 Arts de la scène: ★★

 Design: ★★★★

 Musique: ★★★

1	Banque Nationale
2	*Stratifications pariétales*
3	Centre CDP Capital
4	*Diorama*
5	*Tables*
6	*Sommeil (ou les séjours sous terre)*
7	Place Jean-Paul-Riopelle
	La Joute
8	Galerie MX
9	Palais des congrès
	Lipstick Forest (Nature Légère)
10	Maison de l'architecture du Québec
11	Théâtre St-James
12	Centaur Theatre

13	DHC/ART Fondation pour l'art contemporain
14	Centre PHI
15	Zone Orange
16	Centre d'histoire de Montréal
	La Peur
17	Fonderie Darling
18	Espace Cercle Carré
19	Galerie René Blouin
20	Espace VERRE
21	Galerie Nuances
22	*L'Île des commencements*
23	Pointe-à-Callière, musée d'archéologie et d'histoire
	Entre nous

24	Ancienne-Douane
25	*Vanités 3. Les miroirs du temps*
26	Centre des sciences de Montréal
27	Palais de justice
	Allegrocube
	Signatures
28	Centre de céramique Bonsecours
29	Marché Bonsecours
	Galerie Créa
30	*Mémoire ardente*
31	*Porte du jour*
32	Station de métro Champ-de-Mars
	Les grandes formes qui dansent

Voir la carte des Îles p. 152

Le Quartier international
[parcours souterrain, art public, architecture]

❧ *Le parcours commence à la station de métro Square-Victoria. Suivez les indications vers la Tour Banque Nationale.*

Le siège social de la **Banque Nationale** **(1 ☺)** *(600 rue De La Gauchetière O.)* offre un rare panorama. Celui de l'art tel que perçu, apprécié et conservé par une entreprise. La Banque Nationale est une société privée bien présente dans le marché de l'art actuel. Sa collection, évaluée à quelque 7 000 œuvres, continue à s'enrichir de nouvelles acquisitions, année après année. Le public peut en avoir un aperçu en y arrivant par le passage reliant l'institution financière à la station de métro. L'aile d'exposition, animée par des regroupements temporaires autour des récentes acquisitions, se trouve là, dans ses nouveaux et plus grands atours de 2012. Le visiteur a droit à toute une introduction avec la présence permanente, devant l'espace d'exposition, de l'œuvre *Vague* (2012), de Patrick Coutu. Cette sculpture, qui agence près de 3 000 petites pièces en bronze, parle avec beaucoup d'éclat et de minutie de la mécanique et des aléas du monde financier.

❧ *Retournez à la côte du Beaver Hall et rendez-vous au square Victoria. Cherchez l'entrée de métro surmontée du panneau «Métropolitain», près de la rue Saint-Antoine. Descendez-y; vous aboutirez au Réso, le circuit pédestre souterrain.*

Le square Victoria a bénéficié d'une cure de rajeunissement à l'arrivée des années 2000, qui a permis de mieux repenser la circulation automobile, de recentrer la statue de la reine Victoria et de multiplier les zones vertes et les bassins d'eau. Il a de ce fait repris ses airs d'antan de jardin victorien et est devenu le cœur du secteur – baptisé Quartier international, vu le nombre d'institutions à portée planétaire qui y siègent, de l'Organisation de l'aviation civile internationale au Centre de commerce mondial, en passant par la Bourse. Le square lui-même possède son antenne extraterritoriale avec sa bouche de métro. Chapeautée de son «Métropolitain», cette pièce Art nouveau tirée du métro parisien, telle que dessinée en 1900 par l'architecte Hector Guimard, est un cadeau offert en 1967 à Montréal par la société de transport public de la Ville lumière, le RATP. Prestigieux cadeau : cette entrée monumentale serait la seule originale à exister en dehors de Paris. Chicago, Lisbonne, México et Moscou ont en aussi une, mais ces bouches de métro ne seraient que des copies. Celle de Montréal, la première offerte par le RATP, est constituée d'éléments décoratifs qui ont réellement orné des stations parisiennes jusque dans les années 1960.

❧ *Une fois à l'intérieur du Réso, ne descendez pas l'escalier mécanique. Empruntez plutôt le corridor à droite, direction CDP.*

2

1. L'entourage d'Hector Guimard qui marque une des entrées de la station de métro Square-Victoria.
© Photo : Christian De Grandmaison/Dreamstime.com
2. Art Souterrain : Jean-Michel Crettaz et Mark-David Hosale / Quasar 3 [danger du zéro]. © Photo : Philippe Thomas

Le Réso et l'art sous terre

[art public, corridors souterrains, architecture]

Le réseau souterrain Réso, le plus vaste de cette catégorie au monde, relie plus d'un immeuble du centre-ville et du Vieux-Montréal. Ses galeries et dédales en font un univers sans fin, et c'est un peu ce qu'exploite l'événement **Art Souterrain** *(mars)*, tenu depuis 2009. Il s'agit d'une exposition temporaire, étalée sur des kilomètres et des kilomètres, et ceux sous le Quartier international sont parmi les plus utilisés.

Le réseau possède néanmoins quelques œuvres permanentes dont celle qui se trouve ici, sous la Caisse de dépôt et placement du Québec. La couleur bleue qui règne dans ce corridor provient d'elle. Il s'agit de l'installation **Stratifications pariétales (2 ▨)** (2002-2003), de Christian Kiopini, une intervention en trois étapes, trois

éléments qui se découvrent au fur et à mesure de la marche. À la fois sensorielles et mystérieuses, les trois parties ne font pas qu'habiller ce passage. Elles intriguent, comme le volet «La chambre secrète», illuminent, tel que le fait le mur de «Contreforts», et ouvrent vers l'imaginaire, à l'instar de la colonne en apparence sans fin de «Rayons». Qui aurait dit qu'un banal corridor souterrain pouvait donner à voir un horizon si vaste?

Le **Centre CDP Capital (3 ▨)** – CDP, pour Caisse de dépôt et placement – *(1000 place Jean-Paul-Riopelle)*, majestueux bâtiment en verre apparu en 2002, possède plusieurs œuvres d'art intégrées à son environnement. Il est possible d'y accéder directement à partir du Réso, d'un côté ou de l'autre de l'œuvre de Kiopini. Parmi

1

les œuvres accessibles au public, signalons une installation monumentale d'Irene F. Whittome, une photographie éparpillée jusque sur le sol de Roberto Pellegrinuzzi, ainsi que le panneau extérieur et translucide de Geneviève Cadieux, **June** (2003), qui intègre une de ses photographies antérieures.

↘ *Revenez au réseau souterrain et marchez en direction du Palais des congrès. Une fois les portes franchies, vous entrez dans le secteur sous la place Jean-Paul-Riopelle.*

Ce n'est pas tous les jours qu'on peut se targuer d'être coiffé d'une œuvre de Riopelle. Celle qui se trouve au-dessus de vous, de l'autre côté du plafond, vous aurez l'occasion de l'observer lorsque vous vous retrouverez dehors. Pour l'instant, elle n'est que dans l'air; le corridor que vous vous apprêtez à traverser est imbibé de son aura. Ici, l'art se décline en de multiples exemples offrant un étonnant concentré de créativité.

L'endroit est si concentré que, là par où vous arrivez, tout se confond. Jadis, il y avait même une reproduction (une pub?) au sujet de *La Joute*, la sculpture-fontaine de Riopelle à voir à l'extérieur – on y apprenait qu'elle appartient au Musée d'art contemporain de Montréal. Cette affiche n'est plus là, sauf que l'œuvre permanente incrustée dans les niches du corridor s'organise autour de multiples images. **Diorama (4 🐾)** (2005-2006), de Dominique Blain, se compose de quatre éléments, dont une immense image panoramique de *La Joute* de Riopelle. Les trois autres panneaux associent des vues typiques du Montréal actuel à des photos miniatures tirées d'époques révolues, qu'on découvre à la loupe.

1. Le beau couloir ondulé qui mène au Centre de commerce mondial.
© Photo : Denis Farley
2. Art Souterrain : Vanessa Lapointe / *Gisement.* © Photo : Philippe Thomas

Ce trop-plein d'images détonne dans cette aire où partout ailleurs, tout est plus dégagé. Sur le mur faisant face au corridor menant au Centre de commerce mondial, on a pris l'habitude d'exposer des projets temporaires à cheval sur l'art et l'architecture. Ce pan vitré est aujourd'hui géré par la Maison d'architecture du Québec, un point d'intérêt situé lui aussi dans les proches environs.

Dans le passage que les gens empruntent en direction du Centre de commerce mondial, deux autres triptyques permanents sont à découvrir. Ils font partie du même plan d'intégration que celui de Dominique Blain. *Tables* (5 🖼) (2005-2006), de Michel Goulet, se présente d'abord sous un des motifs propres au sculpteur montréalais, une chaise en acier. Les deux éléments qui suivent, des surfaces à la verticale, offrent une nomenclature de signes très variés, le premier autour de pictogrammes, le deuxième autour de drapeaux.

Clin d'œil à la nature internationale et polyglotte des institutions implantées dans le quartier, *Tables* évoque les questions identitaires et politiques de manière ludique.

Sommeil (ou les séjours sous terre) (6 🖼) (2005-2006), d'Isabelle Hayeur, série photographique quant à elle, pousse la note dans un autre extrême. Plus noires, dans tous les sens du terme, les images de cette habile adepte du photomontage révèlent les bas-fonds marins de nos sociétés de consommation. Le commentaire politique, de nature environnementale, prend terriblement sens dans ce réseau souterrain dans lequel il a été plongé.

↘ *Plutôt que de continuer vers le Centre de commerce mondial, dirigez-vous vers la porte devant les tables verticales de Michel Goulet. Elle conduit à la place Jean-Paul-Riopelle, côté sud. Traversez la place en direction de la rue Viger.*

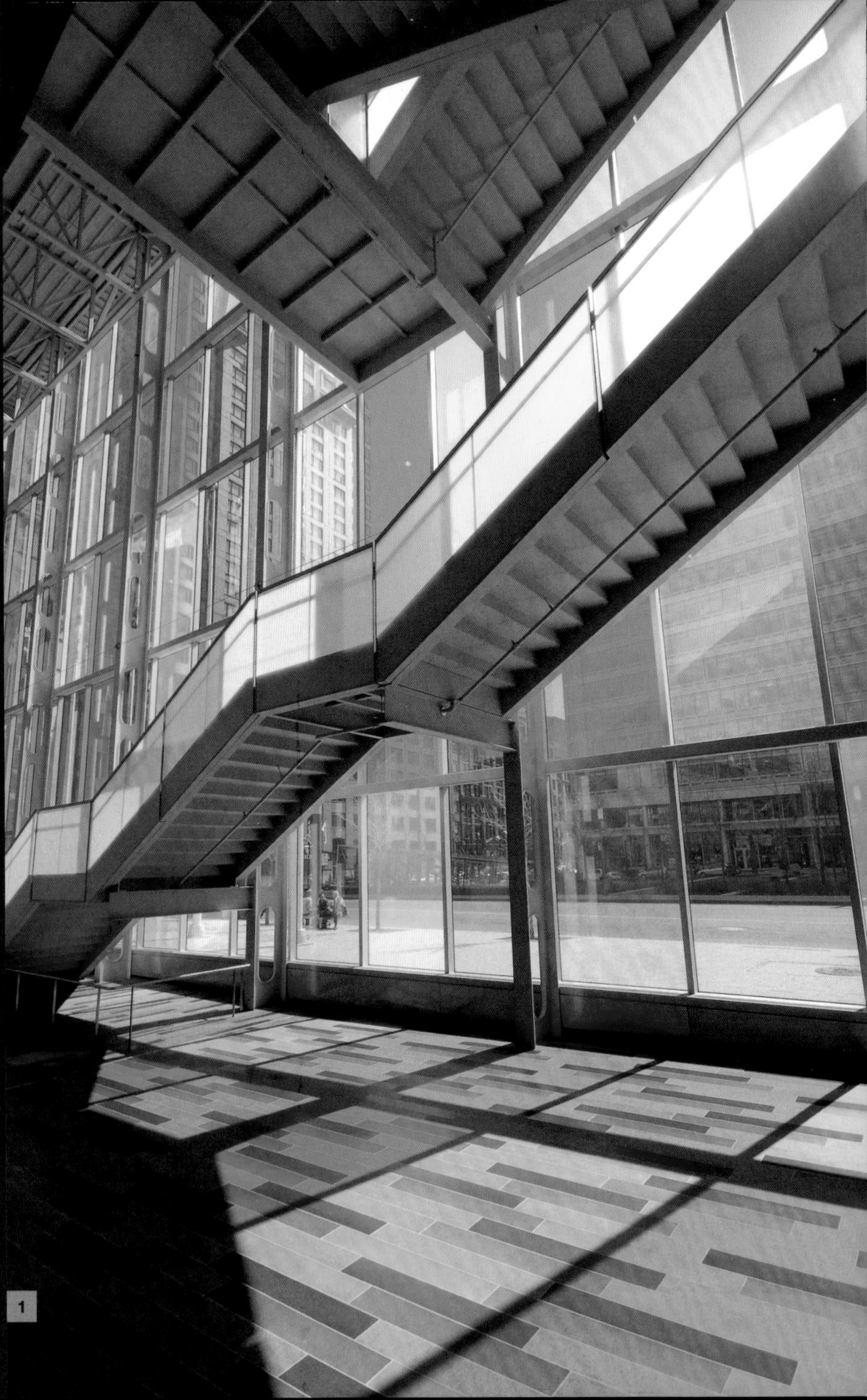

1

1. Vue de l'intérieur du Palais des congrès.
© Photo : Michel Julien
2. Lipstick Forest (Nature Légère), de Claude Cormier et Associés inc. © Photo : Philippe Thomas
3. La fontaine La Joute, de Jean Paul Riopelle.
© Succession Jean Paul Riopelle / SODRAC (2013). Photo : Michel Julien

La Joute

[art public, fontaine, spectacle nocturne]

La **place Jean-Paul-Riopelle (7** **)** *(entre l'avenue Viger et la rue Saint-Antoine)*, qui rend honneur au plus planétaire des artistes québécois, aucun doute là-dessus, a été une des grandes nouveautés du plan d'urbanisation qui a mené au début des années 2000 à la création du Quartier international. En sortant de l'édicule du Réso, vous découvrirez d'abord un *Riopelle* en pied. Ce bronze de Roseline Granet n'est pas la raison cependant qui devrait vous mener ici. L'œuvre qui fait le spectacle, littéralement, est de Riopelle lui-même : la fontaine ***La Joute*** (1969) est un bestiaire en 12 sculptures, disposées dans un bassin circulaire. Cette œuvre son et lumière, d'eau et de feu, est à son meilleur les soirs d'été, alors que le dispositif se met à embraser l'ensemble des figures coulées dans le bronze.

Comme toute œuvre fétiche de relative importance, *La Joute* a sa polémique qui accompagne son histoire. Intégrée en 1975 au Parc olympique dans l'est de la ville, où elle a passé ses premières décennies dans l'indifférence et surtout sans son volet cinétique, la sculpture a été replacée dans le Quartier international de Montréal dans la controverse. La population voisine des installations olympiques a qualifié ce déménagement de rapt, accusant les autorités d'appauvrir culturellement un quartier excentré, au profit d'un marketing touristique au service du centre-ville.

Cœur et emblème du Quartier international, la place Jean-Paul-Riopelle offre une vue privilégiée sur le Palais des congrès, dont le côté ouest présente aujourd'hui un des murs les plus spectaculaires. Il est doté de vitraux colorés qui animent les environs pendant les jours de soleil surtout ; le soir, un jeu de lumières à l'intérieur de l'édifice illumine l'œuvre *Translucide* de Jean-François Cantin, située dans le coin supérieur gauche de la façade et considérée comme « un des plus grands vitraux figuratifs en Amérique ».

Il n'y a pas que les affaires et les congrès qui ceinturent la place Jean-Paul-Riopelle. On y retrouve la très haute gastronomie de chez **Toqué!** *(900 place Jean-Paul-Riopelle)*, une cuisine classée Relais & Châteaux portée par le « Grand Chef » Normand Laprise. De la grande classe. Mais on peut aussi se contenter de l'art de classe commerciale du côté de la **Galerie MX (8** 👁**)** *(333 av. Viger O.)*.

Le **Palais des congrès (9** **)** *(1001 place Jean-Paul-Riopelle)* gagne à être visité. Son rez-de-chaussée est d'ailleurs un long corridor public, parsemé des commerces les plus divers. C'est à l'intérieur que sa paroi colorée enlace le mieux de son ombre les passants et les plonge dans un conte urbain fait de rectangles bleus, orange, verts, jaunes, roses. La variété et l'intensité des tons dépend de la lumière ambiante. Cette aire plutôt passante, mise à profit lors de l'exposition temporaire d'Art Souterrain, possède aussi sa sculpture permanente. En fait, il s'agit d'une vaste installation, tout aussi remarquable par sa couleur. **Lipstick Forest (Nature Légère) (9**  **)** (1999-2002), de Claude Cormier, se compose de 52 troncs d'arbres très réalistes, mais... roses. Notez les escaliers roulants qui descendent: ils mènent vers le passage où se trouvent les œuvres de Dominique Blain, de Michel Goulet et d'Isabelle Hayeur.

↘ *Le prochain point d'intérêt se trouve à même le Palais des congrès, bien qu'on y accède seulement de la rue. En temps de canicule ou de grand froid, traversez le corridor intérieur et, vis-à-vis de l'entrée du métro, tournez à droite dans le passage Saint-François-Xavier et marchez jusqu'à la rue Saint-Antoine.*

1. L'exposition *MONOGRAPHIE MAQ 02 – Lapointe Magne et associés vus par Marie-Paule Macdonald*, présentée à la Maison de l'architecture du Québec de janvier à juin 2012. © *Photo: Alain Laforest*
2. La Maison de l'architecture du Québec, aménagée dans une ancienne caserne de pompiers. © *Photo: Alain Laforest*

Maison de l'architecture du Québec
[galerie, patrimoine, lectures]

La **Maison de l'architecture du Québec (10)** *(181 rue Saint-Antoine O.)* semble petite par la taille de son local, elle est grande par le brassage d'idées qu'elle suscite. Fondée en 2001, sous le ludique nom de Monopoli, la MAQ a plus d'une fois démontré le sérieux de son entreprise. La mission est noble – «stimuler et diffuser la création et la réflexion touchant aux disciplines de l'architecture, de l'architecture de paysage et de l'urbanisme» –, et tous les moyens sont bons pour la soutenir : expositions, laboratoires, publications, ateliers et activités éducatives.

La MAQ est habitée du souci de préservation du patrimoine, comme vous le constaterez avant même de franchir la porte d'entrée. Remarquez sa façade : elle n'a rien du spectaculaire jeu de couleurs qui identifient aujourd'hui le Palais des congrès. Elle affiche cependant, et sans gêne, des couches d'histoire. Cette ancienne caserne de pompiers sert aujourd'hui à penser l'architecture d'aujourd'hui et de demain.

À la MAQ, on vit aussi d'exploration et de risque. Ça ne s'exprime pas seulement à travers des plans d'élévation ou des maquettes, mais aussi à travers les mots et la littérature de... fiction. Sans négliger le passé, ici, on accueille les projets les plus futuristes comme le prouve la série d'expos-lectures Les Archi-Fictions.

➘ *Empruntez la rue Saint-François-Xavier ; le prochain arrêt se trouve là, devant la rue de l'Hôpital.*

1

Le Vieux-Montréal

[art actuel, art public, patrimoine]

Sur le chemin, à l'angle de la rue Saint-Jacques, prenez note que vous pourriez partir dans des directions opposées. Vers l'ouest, à quelque 150 m, l'ancien siège de la Banque CIBC logera sous peu le **Théâtre St-James (11 ▣)** *(265 rue Saint-Jacques).* Les propriétaires du Rialto, salle de spectacle du Mile-End, ont en effet entamé la transformation du majestueux édifice en un lieu de diffusion qui comptera même son aire pour grandes expositions.

À l'est, vous avez devant vous la place d'Armes, un square révélateur de plusieurs pans de l'histoire de Montréal : l'héritage religieux se manifeste avec la basilique Notre-Dame; l'apogée du Montréal industriel le fait avec deux magnifiques gratte-ciel, le New York Life Insurance Building (1888) et son grès rouge, ainsi que l'édifice Aldred (1929-1931) et ses étages en retrait de type ziggourat, alors que le renouveau moderniste s'exprime avec la tour du 500 Place-d'Armes (1968), un des rares cas de ce type et de cette taille dans le Vieux-Montréal. Notez également la présence de la Banque de Montréal

(1847), bâtiment inspiré du Panthéon romain et doté de colonnes de style corinthien, de marbre et d'un dôme. Un petit musée numismatique se trouve à l'intérieur.

Le **Centaur Theatre (12 ▣)** *(453 rue Saint-François-Xavier),* la principale maison à Montréal pour du théâtre en anglais, loge aussi dans un édifice à l'architecture notable pour ses attributs historiques. Son portique à six colonnes, d'ordre corinthien comme celles de la banque devant la place d'Armes, rappelle les temples grecs. Ce bâtiment érigé à l'arrivée du XXe siècle a été le siège de la Bourse de Montréal jusque dans les années 1960, alors que l'institution financière déménageait dans sa tour près du square Victoria. C'est en tout cas ici que s'est niché depuis ses débuts en 1969 le Centaur Theatre. À noter que la compagnie met en scène avec autant de succès la dramaturgie anglo-saxonne que des traductions d'auteurs québécois.

↘ *Marchez dans la rue de l'Hôpital jusqu'à la rue Saint-Jean. Tournez à gauche.*

Quartier international, Vieux-Montréal, les Îles

7

1. La basilique Notre-Dame et l'édifice Aldred, dans le Vieux-Montréal. © Photo : Michel Julien
2. DHC/ART Fondation pour l'art contemporain. © Photo : Richard-Max Tremblay, avec la permission de DHC/ART

DHC/ART
[art actuel, artistes internationaux, médiation culturelle]

C'est dans cette étroite et petite rue, à l'abri des artères plus passantes, que s'est établi un des plus précieux étendards culturels de la ville. Seule en son genre, la **DHC/ART Fondation pour l'art contemporain (13 ▦)** *(451 rue Saint-Jean)* est une entité privée qui ne lésine pas dans les moyens pour faire les choses en grand. Installations multimédias à la fine pointe de la technologie, films sur très grand écran, œuvres en série et sans fin, tout y semble possible.

Depuis son ouverture en 2007, la DHC programme des expositions de calibre international, offrant souvent à des figures de l'étranger une rare présence à Montréal. Les solos de Sophie Calle, de Christian Marclay ou de Jenny Holzer se sont tenus ici, et non pas dans un musée.

Cependant, la Fondation s'est d'abord fait remarquer par ses espaces, ancrés eux aussi dans un bâtiment historique. La transformation, respectueuse du cachet historique en façade, s'est manifestée à l'intérieur, notamment par un étroit puits de lumière. Étalées à la verticale, les salles d'exposition donnent au lieu un cachet particulier.

D'objet de curiosité, la DHC est passée au stade de valeur sûre. Aujourd'hui, chacune de ses expositions est attendue avec impatience. La mission de rendre accessible et alléchant l'art contemporain de pointe n'est pas une pure utopie. Entrée libre, activités de médiation, outils au goût du jour, comme des guides sur applications pour téléphone intelligent... Voilà des moyens concrets pour atteindre ces objectifs.

↘ *Avant de rejoindre la rue Saint-Pierre, vous pourriez vous aventurer du côté de la petite rue Saint-Nicolas, où se terre le non moins petit **Musée de l'imprimerie** (423 rue Saint-Nicolas), un établissement appelé à grandir. Dans la rue Le Moyne, marchez vers l'ouest jusqu'à la rue Saint-Pierre.*

La mécène derrière la DHC, Phoebe Greenberg, a ouvert en 2012 un second lieu de diffusion à quelques pas du premier. Le **Centre PHI (14 ◉▣)** *(407 rue Saint-Pierre)* est voué lui aussi à l'art contemporain, avec un penchant plus prononcé pour les arts médiatiques et avec une âme encore plus rassembleuse. Ses salles se transforment au gré des programmations et des activités qui s'y tiennent. L'endroit est ouvert aux colloques, à la projection de films, aux concerts, aux spectacles, aux installations interactives, etc.

En face ou presque du Centre PHI, **Zone Orange (15)** *(410 rue Saint-Pierre)* vous introduit dans le monde du design d'objets les plus créatifs. Entrer dans ce territoire dédié aux bijoutiers, aux céramistes, aux maroquiniers et aux bricoleurs des plus étonnantes fantaisies, c'est comme atterrir dans la caverne d'Ali Baba, version XXIe siècle. Prenez note que la rue Saint-Pierre est celle de deux établissements chéris par les travailleurs du Vieux-Montréal à l'heure du lunch: le **Titanic** *(445 rue Saint-Pierre)* – les antipasti sont une référence, les desserts, un péché à se payer – et **Olive et Gourmando** *(351 rue Saint-Paul O., angle rue Saint-Pierre)* – des sandwichs haut de gamme, les desserts, un péché à se payer bis. Êtes-vous prêt à faire la file? Non, alors arrivez tôt, très tôt.

Un peu plus loin dans la rue Saint-Pierre, à l'angle de la place D'Youville, vous ferez face à une autre caserne de pompiers converti en lieu de culture. Ici, c'est le **Centre d'histoire de Montréal (16)** *(335 place D'Youville)* qui a repris le bâtiment. Les expositions sont axées sur le passé, mais à l'occasion l'établissement peut appuyer des projets avec des artistes vivants tel que le notoire Mémoire vive, mené en 2001 avec le centre Dare-Dare. Faites le tour de la caserne, vous découvrirez une œuvre de Gilles Mihalcean, **La Peur (16)** *(1993)*, réalisée pour l'ouverture du Centre d'histoire de Montréal. Prenez le temps de l'observer, de loin et de près: les petits détails sont si nombreux que l'appréciation de l'ensemble se fait par étapes. Le rêve et la créativité, la peur et d'autres impressions sont tour à tour évoqués.

➧ *Traversez la place D'Youville vers l'ouest. Rue McGill, tournez à gauche, puis à droite dans la rue William. Vous entrez dans le secteur de la Cité du multimédia, baptisée ainsi pour sa forte concentration d'entreprises œuvrant dans le domaine des nouvelles technologies. Marchez vers l'ouest jusqu'à la rue Duke.*

1

2

La Cité du multimédia
[recyclage architectural, art actuel, galeries]

Dans la Cité du multimédia, le grand point d'intérêt, incontestable figure de proue de l'art contemporain montréalais, demeure la Fonderie Darling. Mais avant de vous y rendre, on vous suggère de passer devant des interventions photographiques exploitant des espaces publicitaires à l'abandon. La première se trouve à l'angle des rues William et Duke, sur un vieux mur en béton, arqué dans sa partie supérieure. Pour voir les autres, il faut lever la tête: sur le toit du 277 de la rue Duke se trouve un autre panneau. Les images qui sont exposées à ces deux endroits pour de longues périodes font partie du programme **Plan large**, un des plus beaux exemples de réhabilitation urbaine menés par Quartier éphémère, l'organisme derrière la Fonderie Darling.

➧ *Marchez vers le sud dans la rue Duke et tournez à gauche dans la rue Ottawa. Rendez-vous à la rue Prince.*

1. L'intérieur du Centre PHI. © *Photo : George Fok / Centre PHI*
2. L'édifice qui abrite le Centre PHI, construit en 1861. © *Photo : George Fok / Centre PHI*
3. Fonderie Darling : Phil Allard et Justin Duchesneau / *Courtepointe*. © *Photo : Guy L'Heureux / Fonderie Darling*

Fonderie Darling, centre des arts visuels

[art actuel, recyclage architectural, ateliers]

Cet autre exemple de recyclage architectural est probablement un des plus spectaculaires, et pourtant un des plus sobres. À la **Fonderie Darling (17 🖼)** *(745 rue Ottawa)*, les murs respirent encore l'acier et parlent volontiers de l'ancienne vocation industrielle. Depuis sa transformation en centre des arts visuels au tournant des années 2000, l'endroit est devenu une des adresses fétiches de la création à Montréal.

Avec ses briques et son béton abîmés par le temps, et laissés à nu, la salle principale à très haut plafond offre un décor déjà empreint d'une grande intensité. La lumière et l'acoustique dans lesquelles elle est plongée contribuent aussi à en faire un espace unique. Un beau défi, que plusieurs relèvent avec brio. Les programmations, année après année, sont parmi les plus inspirées.

La Fonderie n'est pas que lieu de diffusion. Cette entreprise d'économie sociale, qui emploie une quarantaine de personnes, est aussi un centre de production. Une partie du complexe se divise en ateliers et résidences d'artistes, celles-ci offertes à des gens venus des quatre coins du globe. Des ententes d'échanges ont notamment été signées avec des institutions en France, en Suisse, en Inde et en Australie.

La Fonderie Darling est la principale vitrine de l'organisme Quartier éphémère, préoccupé par la sauvegarde du patrimoine architectural et culturel. Son instigatrice et directrice, Caroline Andrieux, a souvent mené des projets catalyseurs, où la création sert à revitaliser un lieu ou un mobilier urbain. Les photographies de Plan large, incrustées dans des panneaux à l'abandon, ou son implication à la défense de Griffintown, le quartier voisin dans la ligne de mire de projets immobiliers dévastateurs, n'en sont que quelques exemples.

Marchez vers le sud dans la rue Queen. À partir de maintenant, vous frôlerez le Vieux-Port et tout le décor rattaché au commerce maritime.

Au fur et à mesure que vous approcherez de la rue de la Commune, vous pourrez mieux contempler le Silo No. 5, imposant artéfact de l'industrie céréalière, désaffecté depuis 1996. Des interventions artistiques s'en sont déjà servies, et certains rêvent de le voir transformer en musée d'art.

L'**Espace Cercle Carré (18 👁)** *(36 rue Queen)* est parmi les plus récentes adresses du secteur

à visiter. Ce lieu de diffusion et de création loge au rez-de-chaussée d'une coopérative d'habitation pour artistes et travailleurs culturels. Cette identité sociale définit la programmation, qui se veut pluridisciplinaire, inclusive et ouverte sur son quartier. Expositions, pièces de théâtre, projection de films et concerts en sont les principaux axes.

De la rue Queen, passez à la rue King. Marchez vers l'est dans la rue de la Commune pour vous rendre au prochain arrêt.

1. Silo No. 5. © Photo : Karine Mancuso
2. Galerie René Blouin : vue de l'installation, Belgo, 2011 ; œuvres : Pierre Dorion, *Calle* ; Nicolas Baier, *Nuages 8* ; Nicolas Baier, *Nuages 7* ; Geneviève Cadieux, *Sans titre (Métis)* ; Patrick Coutu, *Friche 3*. © Photo : Richard-Max Tremblay
3. Espace VERRE. © Photo : Michel Dubreuil

3

Galerie René Blouin

[galerie privée, art contemporain, longévité]

C'est dans ce secteur moins fréquenté de la ville que la **Galerie René Blouin (19 👁)** *(10 rue King)* a fini par se poser au printemps 2013, après l'épisode Arsenal; sa présence dans ce complexe du quartier Griffintown n'aura duré qu'un an, à peine plus. Ce nouvel emplacement, attendu dans le milieu, a fait taire les rumeurs de fermeture définitive.

Il faut rappeler que René Blouin, dans le Québec et même dans le Canada de l'art contemporain, est synonyme de succès, de qualité, de grande rigueur. Il serait difficile d'imaginer la peinture, la sculpture, la photographie d'ici sans son grand leader.

Fondée en 1986, la Galerie René Blouin a rapidement pris rôle de pilier dans la diffusion de l'art fait au Québec. C'est de ses espaces de l'édifice Belgo du centre-ville, où elle a passé son premier quart de siècle, que les Geneviève Cadieux et Jana Sterbak, d'abord, puis les Pascal Grandmaison et Patrick Coutu sont devenus des perles du marché.

Ce nouveau local s'apparente à une renaissance, à plusieurs égards. Dans cet espace pignon sur rue, pour une première fois, l'enseigne bénéficie d'un souffle nouveau, notamment par la présence, aux côtés du galeriste, d'une jeune assistante appelée à prendre autant d'initiatives que le patron. Sans doute, la pérennité de la Galerie René Blouin est-elle assurée.

> ↘ *Si vous ne manquez pas de temps, vous pouvez vous aventurer du côté de la rue Mill, qui débute à l'angle de la rue de la Commune, un peu à l'ouest de la rue Queen.*

Au bout d'un kilomètre de marche dans la rue Mill, vous arriverez devant un troisième cas de caserne de pompiers mise au service de la création. **Espace VERRE (20 🅿)** *(1200 rue Mill)* abrite une école, une boutique et une galerie destinées aux verriers, les apprentis comme les maîtres.

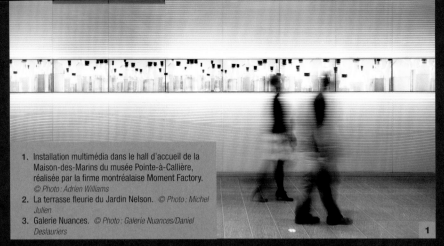

1. Installation multimédia dans le hall d'accueil de la Maison-des-Marins du musée Pointe-à-Callière, réalisée par la firme montréalaise Moment Factory. © Photo : Adrien Williams
2. La terrasse fleurie du Jardin Nelson. © Photo : Michel Julien
3. Galerie Nuances. © Photo : Galerie Nuances/Daniel Deslauriers

Le secteur du Vieux-Port
[art public, architecture, archéologie]

> ↘ Pour la suite du parcours, vous entamerez ici une longue marche vers l'est, en direction du Marché Bonsecours. Profitez de la vue du port que vous offre la rue de la Commune.

Sur le chemin vers le Marché Bonsecours, vous aurez l'occasion de vous faufiler vers un marchand d'art – **Galerie Nuances (21 👁)** *(64 rue des Sœurs-Grises)* –, de croiser une œuvre publique toute en subtilité sur l'histoire du port – *L'Île des commencements* **(22 🏛)** *(1995)*, de Rober Racine, inscrite sur des dalles de la place du Génie (près de la promenade du Vieux-Port) – ou de vous arrêter à **Pointe-à-Callière, musée d'archéologie et d'histoire (23 👁)** *(350 place Royale)*. Ce dernier, un autre établissement voué à l'histoire de Montréal, ouvert au début des années 1990, possède aussi son œuvre extérieure à plusieurs éléments, *Entre nous* (1992), d'Andrew Dutkewych.

Pointe-à-Callière s'étale sur plusieurs bâtiments, dont certains historiques. Érigé en 1992, son principal édifice, dit l'Éperon, est en soi un objet de visite, visite qui s'étend du belvédère avec vue sur le Vieux-Port (accès libre) au sous-sol et à sa crypte archéologique. Un sentier souterrain y prend forme et relie ce pavillon à celui aménagé dans l'**Ancienne-Douane (24 👁)** *(150 rue Saint-Paul O.)*.

Le musée vieillit bien et, en 2013, il s'est ennobli d'une nouvelle aile, la **Maison-des-Marins** *(165 place D'Youville)*, relié également par le sentier souterrain. Ce dernier bijou, dont la nouvelle configuration vitrée est signée Hanganu et Provencher Roy + Associés architectes, le même consortium qui a réalisé l'Éperon, mérite la visite ne serait-ce que pour son œuvre du 1%, la politique d'intégration des arts à l'architecture. *Vanités 3. Les miroirs du temps* **(25 🏛)** (2011-2012), murale de Nicolas Baier, cumule un grand nombre de miroirs usés et abîmés. Reconnu pour avoir renouvelé la pratique photographique québécoise à la fin des années 1990, l'artiste a procédé, comme à son habitude, par la numérisation d'objets. Intégrée, pour ne pas dire camouflée derrière un escalier translucide, la mosaïque parle à différents niveaux de visibilité, de mémoire et d'esthétique.

Phare de l'archéologie au Québec, appelé à grandir encore dans les années à venir, Pointe-à-Callière ne renie pas pour autant les formes de la création actuelle. En témoigne l'événement de musique que pilote le musée, **Les Symphonies portuaires** *(mars)*, pour lequel un compositeur est invité à créer un concert avec les sirènes des bateaux amarrés au port. Son resto créatif et abordable – L'Arrivage – et sa précieuse boutique, petite caverne au service des métiers d'art, situent le musée au parfum des goûts du jour.

À 300 m environ de Pointe-à-Callière se dresse, collé à l'eau, le **Centre des sciences de Montréal (26 👁️🗨️)** *(2 rue de la Commune O.)*, un établissement qui fait le bonheur des enfants et des adolescents. L'endroit abrite, outre de multiples salles d'exposition, le premier cinéma IMAX en ville. Sachez que c'est dans ces environs connus comme les Quais du Vieux-Port que prend racine depuis une dizaine d'années l'événement pluridisciplinaire **Les Escales improbables** *(septembre)*. Jour et/ou nuit, vous êtes convié à une programmation des plus inattendues, qui s'arrime aussi bien dans l'art actuel que dans la danse, le théâtre ou la musique.

> ↘ *La route la plus courte pour atteindre le Marché Bonsecours invite à continuer dans la même rue de la Commune. Or, un détour par la rue Notre-Dame est tout indiqué. Marchez sur le boulevard Saint-Laurent sur un peu plus de 200 m.*

Le **palais de justice (27 🖼️)** *(1 rue Notre-Dame E.)*, contemporain du 500 Place-d'Armes presque voisin, possède ses œuvres d'art public. La plus en vue, **Allegrocube** (1973), de Charles Daudelin, se présente sur le parvis devant l'entrée de la rue Notre-Dame. Un cas plus discret à découvrir dans l'Allée des huissiers, étroit passage qui longe le côté est de l'édifice. Il s'agit de l'œuvre **Signatures** (2002), de Marie-France Brière.

> ↘ *Marchez dans la rue Notre-Dame en direction est jusqu'à la place Jacques-Cartier.*

Les citations à l'Antiquité ou à l'architecture classique ne manquent pas dans la rue Notre-Dame. Des entrées majestueuses, rehaussées de colonnes, défilent successivement : ce sont celles de l'**édifice Ernest-Cormier** *(100 rue Notre-Dame E.)*, qui abrite la Cour d'appel du Québec, de l'édifice Lucien-Saulnier, dit le **Vieux palais de justice** *(155 rue Notre-Dame E.)* et de l'**hôtel de ville** *(275 rue Notre-Dame E.)*. En marge de ces lieux de prestige et de noblesse, vous pourriez choisir de poser votre regard sur l'art des potiers au **Centre de céramique Bonsecours (28 🖼️)** *(444 rue Saint-Gabriel)* ou sur les publicités murales d'antan qui demeurent visibles sur la brique de plusieurs bâtiments du Vieux-Montréal. Ici, dans la rue Notre-Dame, notez celle en voie de disparaître sur le côté est de l'étroit et vertical édifice **La Sauvegarde** *(150-152 rue Notre-Dame)*.

En haut de la place Jacques-Cartier, et tout autour (sur le côté et face à l'hôtel de ville), on retrouve des exemples d'art public issus de différentes époques. C'est le plus vieux d'entre eux qui s'impose, ne serait-ce que par sa taille. Le monument à Nelson, ou la colonne Nelson (1809), occupe une place de prédilection avec vue sur la place Jacques-Cartier, autrefois marché public. Il honore l'amiral Nelson, qui assura la domination maritime des Britanniques sur les Français. L'œuvre se compose d'une longue colonne à fût circulaire au sommet de laquelle trône le personnage. La disproportion entre les deux, l'élévation de l'ensemble, son clin-d'œil à la colonne de Trajan, célèbre monument de l'Empire romain, et le fond historique prompt à controverse font de cette pièce, la plus vieille de toute la collection municipale, un incontournable du paysage montréalais.

> ↘ *Descendez la place Jacques-Cartier; vous croiserez, côté ouest, la rue Saint-Amable, ou «rue des artistes», classique rendez-vous des touristes à la recherche d'un tableautin de Montréal ou de portraits dessinés sur le vif. Pratiquement en face, côté est, se trouve le **Jardin Nelson** (407 place Jacques-Cartier), restaurant doté d'une des plus belles terrasses fleuries. À noter que ces deux coins de la ville ne s'animent qu'en saison clémente, ou, comme l'explique la devanture du resto, «lorsque la température [leur] est favorable». Rue Saint-Paul, tournez à gauche, le Marché Bonsecours surgira au bout d'une centaine de mètres.*

1. Le Village d'igloos de l'Igloofest, avec le Marché Bonsecours à l'arrière-plan. © Photo : Miguel Legault
2. Un DJ sur la scène principale de l'Igloofest. © Photo : Miguel Legault

Le Marché Bonsecours

[architecture, métiers d'art, art public]

Bâtiment central de l'histoire de Montréal, et de son paysage grâce à l'imposant dôme qui le surmonte, le **Marché Bonsecours (29 ⬚⬚)** *(300-390 rue Saint-Paul E.)* a, pour ainsi dire, plusieurs vies – comme il a plusieurs portes. Inauguré en 1847, mais ravagé souvent par le feu et reconstruit plus d'une fois, il a aussi changé de vocation avec fréquence. De marché, le bâtiment conserve aujourd'hui l'esprit et abrite plusieurs boutiques et restaurants.

Si l'art de pointe a déjà animé dans le passé le Marché Bonsecours, aujourd'hui les programmations culturelles restent discrètes. Mais il en reste, et des expositions de tout genre se succèdent à un rythme variable. La **Galerie Créa (29 ⬚)** *(espace 400)*, vouée aux métiers d'art, est la seule vitrine permanente de l'endroit.

Au Marché Bonsecours, l'art public bénéficie, lui, d'une belle vitrine, soit le mur extérieur de sa façade sud. Au dessus de l'entrée *(353 rue de la Commune)*, un panneau sert à exposer des projets photographiques. C'est le centre d'artistes Dazibao, établi dans le Mile-End, qui a aujourd'hui la responsabilité de cette vitrine en hauteur, ainsi que d'une autre dans le Plateau-Mont-Royal, sur les murs du Café Cherrier.

La sculpture a aussi sa place autour du Marché Bonsecours. Cependant, il faut traverser la rue de la Commune et se rendre sous les arbres de l'aire piétonne. En 2012, c'est là qu'est réapparue **Mémoire ardente (30 ⬚)** *(1994)*, de Gilbert Boyer, une œuvre cubique en granit réalisée à la suite des fêtes du 350e anniversaire de Montréal, tenues en 1992. À l'origine, la sculpture se trouvait sur la place Jacques-Cartier, mais une controverse des plus virulentes à l'égard des dépenses publiques en matière d'art avait contraint les autorités à la retirer.

Comme souvent chez Boyer, la sculpture n'est pas que matière. Elle est aussi faite de mots. Ici, sa poésie se découvre par des orifices sur les quatre côtés du cube et parle, à travers dialogues et citations de noms, des histoires de Montréal, de la petite comme de la grande, de la visible comme de l'invisible.

Tout près de là, sur le quai Jacques-Cartier, se tient, par temps glacial, un des festivals qui donne le plus chaud, **Igloofest** *(janvier)*, consacré à la musique électronique. N'oubliez pas de bien vous couvrir, quand même.

Une autre œuvre, un peu excentrée, est située à l'est du Marché Bonsecours. On la trouve au bout de la rue Saint-Paul, de l'autre côté du viaduc qui enjambe la rue Berri, dans le dénommé **square Dalhousie** *(à l'angle des rues Saint-Hubert et Notre-Dame E.).* Il s'agit d'une sculpture minimaliste en acier de Jocelyne Alloucherie, intitulée ***Porte du jour*** **(31 🚇)** (2004).

⤏ *En quittant le Marché Bonsecours, du côté de la rue Saint-Paul, empruntez vers le nord la rue Saint-Claude, qui devient Gosford après la rue Notre-Dame. La station de métro Champ-de-Mars, dernier arrêt de cette balade dans le Vieux-Montréal, se trouve presque en ligne droite. Prenez le tunnel piétonnier situé rue Gosford, derrière l'hôtel de ville.*

Sur le chemin, notez deux très bonnes adresses de la gastronomie locale: **Chez L'Épicier** *(311*

rue Saint-Paul E.), qui est aussi une boutique gourmande, et **Le Club Chasse et Pêche** *(423 rue Saint-Claude)*, un lieu sélect qui cultive l'anonymat (un logo comme seule enseigne) et apprécie l'art. La salle à manger affiche des œuvres de Nicolas Baier, l'auteur de la murale de miroirs que l'on peut voir dans le nouveau pavillon du musée Pointe-à-Callière, près du Vieux-Port.

À la sortie de l'autre côté du tunnel, prenez le temps d'observer les vitraux de l'édicule de la station de métro **Champ-de-Mars (32 🚇)**. Ils sont un des meilleurs exemples d'intégration de l'art à l'architecture, du moins, un des plus aimés. La **verrière**, qui date de 1966, porte la signature de Marcelle Ferron et serait intitulée ***Les grandes formes qui dansent*** selon certaines sources; elle s'apprécie autant de l'extérieur que de l'intérieur, de jour comme de nuit. Les couleurs chatoyantes et les lignes élancées et recourbées donnent à l'endroit des airs féeriques. Il ne fait jamais autant plaisir de prendre le métro qu'ici. Plusieurs considèrent cette œuvre monumentale comme le chef-d'œuvre de Ferron, une des artistes issues du mouvement automatiste.

⤏ *Pour une visite du parc Jean-Drapeau, qui réunit les îles Sainte-Hélène et Notre-Dame, prenez le métro et rendez-vous à la station Jean-Drapeau, sur la ligne jaune.*

1

Le parc Jean-Drapeau
[parc de sculptures, musique, nature]

Le site enchanteur et champêtre du parc Jean-Drapeau, formé par les îles Sainte-Hélène et Notre-Dame, recèle aujourd'hui une foule d'activités. Depuis la tenue d'Expo 67, l'exposition universelle qui a mis Montréal sur la carte, les événements s'y multiplient, les lieux à visiter aussi. On y retrouve le Casino de Montréal, le parc d'attractions La Ronde, le circuit automobile Gilles-Villeneuve, une plage et un complexe aquatique, parmi les attraits les plus fréquentés.

L'été, on s'y rend pour pique-niquer ou pour profiter de toutes ces distractions estivales. L'hiver, aussi, on a raison de s'y rendre. Au plus fort du froid, la **Fête des neiges de Montréal** *(janvier)* attire son lot de familles. Et si l'été joggeurs, patineurs et cyclistes y trouvent leur compte pour s'entraîner, les skieurs de fond ne sont pas à plaindre quand s'accumulent les flocons.

Sur ce vaste territoire de verdure au milieu du fleuve, la culture n'est pas absente. Bien au contraire : elle s'est immiscée partout, y compris dans le Casino et à La Ronde, deux des vestiges d'Expo 67 marqués par l'esthétique de l'époque. L'**île Sainte-Hélène (33 🅿🚇🚋)**, la plus grande

des deux îles, accueille tous les dimanches d'été un événements des plus écoutés. **Piknic Électronik** *(mai à septembre)* offre une panoplie de concerts de musique électronique.

Deux musées sont situés à 1,5 km de distance l'un de l'autre : le **Musée Stewart** *(20 ch. du Tour-de-l'Isle)*, établissement d'histoire dédié à la Nouvelle-France et ancré dans le Fort de l'île Sainte-Hélène, un résidu encore plus ancien, du début du XIXᵉ siècle ; et la **Biosphère** *(160 chemin du Tour-de-l'Isle)*, musée de l'environnement, établi dans un bijou architectural, chef-d'œuvre de l'ingénieur américain Buckminster Fuller. Érigé pour l'Expo 67, ce dôme géodésique abritait le pavillon des États-Unis.

Les deux îles forment un immense parc de sculptures. On en recense une quinzaine, dont une bonne partie est, elle aussi, issue de l'exposition universelle. Par conséquent, il n'est pas étonnant de constater que l'esthétique moderniste, non narrative, monumentale et faisant appel aux matériaux industriels, domine le paysage. Il faudrait une journée pour parcourir l'ensemble du territoire à la recherche de toutes ces œuvres. Nous n'en

1. Piknic Électronik au parc Jean-Drapeau.
© Photo : Miguel Legault
2. Fête des neiges de Montréal. © Photo : Michel Julien

signalerons ici que quelques-unes, parmi les plus importantes.

L'Homme (34), ou *Man, Three Disks* (1967), d'Alexander Calder, est probablement l'œuvre d'art la plus connue de Montréal. Elle en est même son icône. Et pour ceux qui déambulent sur l'île Sainte-Hélène, elle est un repère, impossible à manquer. Mastodonte, imposante par son élévation, la sculpture en acier semble être animée d'une démarche élégante, voire apaisante. Il est réconfortant de se retrouver à ses pieds – et c'est ce que font les fêtards de Piknic Électronik, dont la scène est montée tout près. *L'Homme* est un des «stabiles» qui ont fait la renommée de l'artiste américain, son deuxième en importance après celui de México.

Les œuvres monumentales ne manquent pas dans le parc Jean-Drapeau. Et elles ne sont pas toutes issues des années 1960. Pas tellement loin du Calder se dressent les colonnes rouges de **La Puerta de la Amistad (35)** (1993), de Sebastián, un cadeau du Mexique pour le 350ᵉ anniversaire de la fondation de Montréal. Près du pont de la Concorde, qui mène à l'île Notre-Dame, le **Phare du Cosmos (36)** (1967), d'Yves Trudeau, détonne, par la figure du robot qu'il représente, des langages plastiques alors en vogue. Il exprime toutefois des courants de pensée à l'époque de l'Expo 67, à travers les motifs

géométriques qui le composent et cet alliage d'imaginaire et de science qui s'en dégage.

L'île Notre-Dame (37), où cohabitent le circuit de F1, le casino et des restes des Floralies, exposition florale de 1980, recèle son lot d'œuvres. C'est dans cet environnement de fleurs et de jeux, entre le pavillon de la France d'Expo 67 reconverti en casino et celui de la Jamaïque, presque intact, qu'a été installée la plus récente œuvre publique des Îles. **L'Arc (38)** (2009), de Michel de Broin, se distingue du reste de la collection par son apparence (presque) naturelle. L'arc évoqué par le titre est formé par un arbre voûté (en béton), dont la tête rentre dans le sol. La sculpture laisse une belle place aux interprétations. Elle a été réalisée en hommage à Salvador Allende, le président chilien victime du coup d'État militaire de 1973 qui a conduit à la dictature d'Augusto Pinochet.

Ceux qui possèdent des téléphones intelligents seront heureux de savoir qu'il existe une application Expo 67 pour visiter, en balade audioguidée, le site tel qu'il avait été aménagé en 1967. L'équipe de Portrait sonore a aussi réalisé une balade du Vieux-Montréal à télécharger, sur le thème «Montréal moderne».

Pour revenir à la station de métro, comptez une vingtaine de minutes de marche à partir de la sculpture de Michel de Broin.

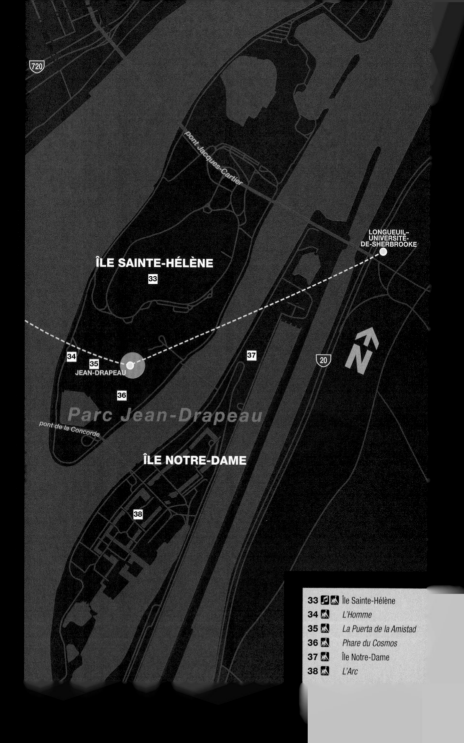

ÎLE SAINTE-HÉLÈNE
33

ÎLE NOTRE-DAME

Parc Jean-Drapeau

JEAN-DRAPEAU
34 35 36 37

38

pont Jacques-Cartier

pont de la Concorde

LONGUEUIL–
UNIVERSITÉ-
DE-SHERBROOKE

720

20

Carnet d'adresses créatif

Arts visuels

Centre PHI
mer-ven 12h à 19h, sam-dim 11h à 18h; 407 rue Saint-Pierre, 514-225-0525, phi-centre.com

DHC/ART Fondation pour l'art contemporain
mer-ven 12h à 19h, sam-dim 11h à 18h; 451 rue Saint-Jean, 514-849-3742, dhc-art.org

Espace Cercle Carré
mer-ven 12h à 18h, jeu jusqu'à 20h, sam 12h à 17h; 36 rue Queen, 514-419-0588, cerclecarre.coop/site/espace

Fonderie Darling, centre d'arts visuels
mer-dim 12h à 19h, jeu jusqu'à 21h; 745 rue Ottawa, 514-392-1554, www.fonderiedarling.org

Galerie MX
lun-ven 10h à 18h; 333 av. Viger O., 514-315-8900, www.galeriemx.com

Galerie Nuances
sur rendez-vous seulement; 64 rue des Sœurs-Grises, 514-233-4189, www.galerienuances.com

Galerie René Blouin
10 rue King, 514-393-9969, www.galeriereneblouin.com

Design

Centre de céramique Bonsecours
lun-ven 10h à 18h; 444 rue Saint-Gabriel, 514-866-6581, www.centreceramiquebonsecours.net

Espace Verre
lun-ven 9h à 17h, dernier dim du mois 12h à 17h; 1200 rue Mill, 514-933-6849, www.espaceverre.qc.ca

Galerie Créa, métiers d'art contemporains
tlj 10h à 18h; 350 rue Saint-Paul E., espace 400, 514-878-2787, poste 316, www.metiers-d-art.qc.ca/crea

Maison de l'architecture du Québec
mer-ven 13h à 18h, sam 12h à 17h; 181 rue Saint-Antoine O., 514-868-6691, www.maisondelarchitecture.ca

Zone Orange
tlj 12h à 18h; 410 rue Saint-Pierre, 514-510-5809, shop.galeriezoneorange.com

Arts de la scène

Centaur Theatre
453 rue Saint-François-Xavier, 514-288-3161,
www.centaurtheatre.com

Musées

Biosphère, 160 ch. du Tour-de-l'Isle, île Sainte-Hélène

Centre des sciences, 2 rue de la Commune

Centre d'histoire de Montréal, 335 place D'Youville

Musée de l'imprimerie, 423 rue Saint-Nicolas

Musée Stewart, 20 ch. du Tour-de-l'Isle, île Sainte-Hélène

Pointe-à-Callière, musée d'histoire et d'archéologie, 350 place Royale

Bars, cafés, commerces

Brit & Chips, restaurant, 433 rue McGill

Café Luna d'Oro, restaurant, 469 rue Saint-François-Xavier

Café Trattoria Pane E Vino, restaurant, 212 rue Saint-Jacques

Ça roule Montréal, centre de location de vélos, 27 rue de la Commune E.

Chez L'Épicier, restaurant, 311 rue Saint-Paul E.

Cinéma IMAX du Centre des sciences de Montréal, 2 rue de la Commune

Le Club Chasse et Pêche, restaurant, 423 rue Saint-Claude

Les Glaceurs, glacier, 453 rue Saint-Sulpice

Les Gourmets Pressés, comptoir et café, 406 rue Saint-Jacques

Jardin Nelson, restaurant, 407 place Jacques-Cartier

Olive et Gourmando, restaurant, 351 rue Saint-Paul O.

Le Petit Moulinsart, restaurant, 139 rue Saint-Paul O.

La Ronde, parc d'attractions, 22 ch. Macdonald

Simon Camera, magasin photo, 11 rue Saint-Antoine O.

Steve's, magasin de musique, 51 rue Saint-Antoine O.

Titanic, restaurant, 445 rue Saint-Pierre

Toqué!, restaurant, 900 place Jean-Paul-Riopelle

QUARTIER LATIN, LES FAUBOURGS, HOMA

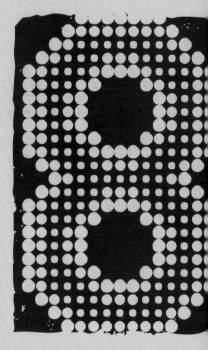

Innovations sur scène
La cheminée caractéristique de l'Usine C.
© *Denis Farley*

À l'extrémité est du Quartier des spectacles, le Quartier latin crée un pont entre le centre-ville et des zones plus résidentielles où fourmillent bon nombre de lieux de création et de culture. Comme son homonyme parisien, il est défini par l'identité universitaire. Au début du XXe siècle, c'est l'Université de Montréal qui se trouvait dans les parages. Mais depuis les années 1970, le Quartier latin se développe autour de l'Université du Québec à Montréal (UQAM), l'autre université francophone en ville, fondée en 1969. La rue Saint-Denis et ses virées nocturnes, les commerces de la rue Sainte-Catherine, la place Émilie-Gamelin, et jusqu'à la Grande Bibliothèque, inaugurée en 2005, enveloppent l'établissement universitaire comme une âme à protéger.

Au bout du compte, l'offre culturelle des environs y est aussi fortement liée : salles de spectacle et salles d'exposition ont poussé sur le campus même. Et celles-ci ne sont pas anodines, si on se fie à la seule Galerie de l'UQAM, joueur de premier plan dans le domaine de l'art contemporain.

Le Quartier latin, qui fait officiellement partie du Quartier des spectacles, s'étend à l'est jusqu'à la rue Saint-Hubert, là où débute le pôle de création les Faubourgs, autrefois désigné par l'appellation Centre-Sud. Cette zone, qui va jusqu'au-delà du pont Jacques-Cartier, est délimitée au nord par la rue Sherbrooke et au sud par le fleuve Saint-Laurent. Une diversité de populations l'habitent et se concentrent autour de deux grands axes, le Village gay et la station de métro Frontenac. En 2001, des organismes et des artistes se sont regroupés autour de Voies culturelles des faubourgs (www.voiesculturelles.qc.ca), qui œuvre à promouvoir la culture de ce pôle de création.

Ce parcours se termine au-delà des Faubourgs, dans le quartier Hochelaga-Maisonneuve, un secteur populaire et ouvrier qui est soumis depuis quelques années à un important développement immobilier. Devenu à la mode, on le désigne désormais par le sigle HoMa. L'activité culturelle n'a pas pour autant explosé; elle y était déjà présente et suit une évolution plus normale, notamment dans les environs du Stade olympique.

Quartier latin, les Faubourgs, HoMa

⇘ Combien de temps ?

Pour l'ensemble du parcours : une journée ou deux demi-journées

⇘ Segments

Le Quartier latin : 3h

Le Village : 2h

Les environs de la maison de la culture Frontenac : 2h15

HoMa (incluant le Stade olympique et le Jardin botanique) : 2h40

HoMa (sans le stade et le Jardin botanique) : 1h10

⇘ Comment ?

Parcours à pied et en métro

Option d'un trajet en bus (ligne 125 – rue Ontario) pour accéder au quartier Maisonneuve.

 Arts numériques : ★ ★ ★ ★

 Art public : ★ ★ ★

 Arts visuels : ★ ★ ★ ★

 Arts de la scène : ★ ★ ★ ★ ★

 Design : ★ ★ ★

 Musique : ★ ★ ★

©ULYSSE

HoMa p.175 ▶

Voir carte HoMa p. 175

1. La Maison Théâtre.
   © Photo : Groupe Arcop
2. Festival international
   du film sur l'art (FIFA) :
   vue de l'œuvre évolutive
   Autoscopie de l'artiste
   Stéphane Dionne au 30ᵉ
   FIFA.
   © Photo : Marc-André
   Lapierre

Le Quartier latin

[art actuel, design, musique]

⬎ *Rendez-vous à la station de métro Saint-Laurent. Marchez sur le boulevard De Maisonneuve vers l'est.*

Le parcours débute sur le terrain des **habitations Jeanne-Mance (1** **)**, un complexe de résidences pour familles à faible revenu mis en place dans les années 1960. Des propositions d'art public, certains officielles, d'autres non, certaines en sculpture, d'autres en peinture, parsèment ce paysage formé de bâtiments, d'allées et de terrains de jeux.

À considérer comme les plus notables du secteur, les murales apparues dès 2009 sur les édifices donnant sur le boulevard De Maisonneuve, réalisées par l'organisme MU et un duo d'artistes de Philadelphie, Phillip Adams et David Guinn. Elles se retrouvent autant du côté sud que du côté nord de la rue, à la fois à l'est et à l'ouest d'un terrain de soccer. Elles sont faciles à repérer tant leurs couleurs sont vives et animées; elles miment la vitesse de la circulation automobile.

⬎ *Traversez le site des habitations Jeanne-Mance en direction nord par le sentier qui borde le terrain de soccer. Rendez-vous à la rue Ontario.*

La Maison Théâtre (2 ▯**)** *(245 rue Ontario E.)* est un cas unique à Montréal par sa programmation entièrement vouée aux jeunes publics. Une trentaine de troupes gravitent autour d'elle, sans compter les compagnies de l'étranger qui sont invitées. La preuve par quatre que ce créneau très particulier de la dramaturgie s'avère des plus inspirants.

Prenez note qu'un peu en retrait du parcours rue Sherbrooke, passée la rue De Bullion, la **Chapelle historique du Bon-Pasteur (3** ▯**)** *(100 rue Sherbrooke E.)* propose une programmation de musique de chambre et de récitals fort appréciée. **Le Vivier (3** ▯**)** *(loca 300)*, incontournable diffuseur en musiques nouvelles, loge à cette enseigne. Des expositions sont aussi à l'occasion présentées là. Mais dans ce domaine, **Les Impatients (3** ▯**)** *(loca 4000)*, qui naviguent dans les eaux de l'art thérapeutique, valent davantage le déplacement. L'organisme vient en aide aux personnes atteintes de problèmes de santé mentale par le biais de l'expression artistique et n'hésite pas à les jumeler, le temps d'une expo, à des artistes professionnels.

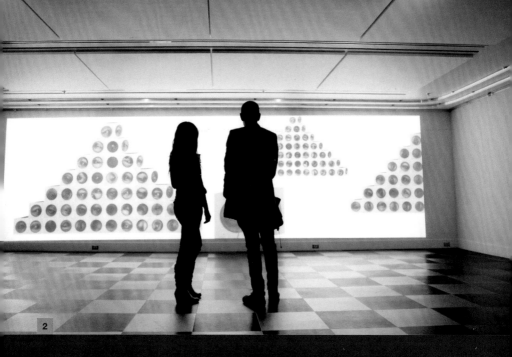

Le bâtiment adjacent à la Maison Théâtre est un établissement d'enseignement collégial, le **cégep du Vieux-Montréal** *(255 rue Ontario E.)*, reconnu aussi bien pour sa formation en arts plastiques que pour le militantisme de sa population étudiante. Notez la complexité de son architecture et de ses modules en escalier, ses coins arrondis et ses fenêtres en hublot. Si vous êtes d'attaque pour vous aventurer sur la pente prononcée de la rue Sanguinet, sachez qu'au bout, sur le mur de l'édifice à l'angle de la rue Sherbrooke, se trouve une des plaques encore existantes de la série ***Comme un poisson dans la ville*** (4) (1988), œuvre en mots de Gilbert Boyer.

❯ *Rue Sanguinet, marchez vers le sud en direction de la rue Sainte-Catherine.*

La **Cinémathèque québécoise (5 ▣)** *(335 boul. De Maisonneuve E.)* occupe un édifice historique de brique et de pierre rouge rénové avec classe au milieu des années 1990 par le bureau Saucier + Perrotte architectes. Malgré les problèmes financiers qui font planer avec fréquence sa

fermeture, l'établissement demeure le meilleur gardien du septième art au Québec. Dotée de deux salles et de plusieurs aires d'exposition, dont une grande pièce qui accueille régulièrement des projets en art contemporain, la Cinémathèque honore le patrimoine cinématographique d'ici et d'ailleurs, d'hier et d'aujourd'hui, tous genres confondus. Il accueille de nombreux festivals, notamment les **Rendez-vous du cinéma québécois** *(février)*, le **Festival international du film sur l'art** *(mars)*, les **Rencontres internationales du documentaire de Montréal** *(novembre)* et les **Sommets du cinéma d'animation** *(novembre-décembre)*. Son exposition permanente porte quant à elle sur les effets spéciaux au cinéma.

Face à la Cinémathèque, le **Centre Pierre-Péladeau (6 ♫▣)** *(300 boul. De Maisonneuve E.)* se présente comme son beau complément, lui qui consacre sa programmation aux arts vivants (et non sur écran). Les amateurs de la danse, de la musique, de la chanson ou du théâtre y trouvent leur compte. Ce centre fait partie du vaste complexe immobilier de l'UQAM.

Installation de l'*Expo LINO* au
Centre de design de l'UQAM.
© Photo : Michel Brunelle

UQAM

[complexe culturel, design, recyclage architectural]

L'Université du Québec à Montréal (UQAM), fondée en 1969, joue un rôle majeur dans le Quartier latin. C'est un peu par elle, pour elle et à travers elle que le secteur s'est développé ces quatre dernières décennies. Fondée par le gouvernement du Québec dans la foulée des réformes majeures du système d'éducation formulées dans les années 1960, l'UQAM s'est bâtie sur les valeurs de démocratisation du savoir et d'accessibilité aux études. Si aujourd'hui les programmes offerts couvrent à peu près tous les champs d'études, ce sont les beaux-arts, les lettres et les sciences humaines et sociales qui ont forgé son identité dès ses débuts. L'importante offre culturelle qui émane de ses murs en est aujourd'hui la conséquence naturelle.

Le **Centre de design de l'UQAM (7 🖼️)** *(1440 rue Sanguinet)* est un des rares espaces au Canada consacrés en exclusivité à la diffusion de ce domaine particulier de la création. Toutes les formes du design y sont soutenues, du design graphique, industriel ou urbain au design appliqué à l'architecture ou à la mode. Il reflète l'inventivité des formes et des solutions qui bouillonnent à l'intérieur de ce pavillon. Notez la mise en lumière du bâtiment, réalisée en collaboration avec le Quartier des spectacles; elle vous donnera une idée de ce qui s'expose à l'intérieur.

Avant de poursuivre la visite de l'UQAM, notez la présence, un peu à l'ouest du Centre de design, du **Théâtre Sainte-Catherine (8 🎭🎨)** *(264 rue Sainte-Catherine E.)* et de la galerie **Fresh Paint! (9 🖼️)** *(180 rue Sainte-Catherine E.)*, deux lieux qui aiment cultiver la marginalité. Dans sa salle d'une centaine de sièges, le premier accueille une grande diversité de créateurs, aussi bien ceux réputés pour leur musique ou leur théâtre *trash* que les humoristes du festival **Juste pour rire** *(juillet)* ou du **Zoofest** *(juillet)*. La seconde promeut plus d'une forme d'art urbain, ou *street art*. Elle le fait de manière cohérente : l'espace occupé, bâtiment ancestral du défunt journal *La Patrie* (1879-1978), respire le squat avec ses moulures décaties et son sol éclaboussé de peinture. L'équipe de Fresh Paint! est la même qui dirige le festival de rue **Under Pressure** *(août)*, en place dans le Quartier latin.

> ↘ *L'UQAM possède son réseau de corridors souterrains qui relient ses pavillons à la station de métro Berri-UQAM. Cependant, pour vous rendre au prochain point d'intérêt, nous vous suggérons de le faire par la rue Sainte-Catherine, en direction est.*

Notez au passage l'ancienne banque occupée par le magasin **DeSerres** *(334 rue Sainte-Catherine E.)*, le paradis pour les étudiants en arts. En fait, le soir, vous ne pouvez rater le commerce : sa devanture s'anime sous une vaste paroi de lumière.

> ↘ *À l'angle de la rue Saint-Denis, côté nord-est, entrez dans le pavillon Judith-Jasmin.*

Affilié à la Faculté des arts de l'UQAM, et plus précisément au programme de maîtrise en arts visuels et médiatiques, le **Centre de diffusion et d'expérimentation (10 📷)** *(405 rue Sainte-Catherine E., local J-R930)*, mieux connu sous l'acronyme CDEx, sert de lieu d'exposition aux travaux des futurs professionnels. Cet espace à la forme irrégulière peut dès lors être considéré comme la marmite où se mijote l'art de demain. À l'occasion, notamment lors de la **Nuit blanche** *(dernier samedi de février)*, événement qui envahit le Montréal culturel, le CDEx fait de sa vitrine, rue Saint-Denis, un formidable mur d'expression.

Le pavillon Judith-Jasmin, par sa localisation et son accès à la station de métro, est un des plus passants de l'UQAM. Son agora, toujours bien animé, a un emplacement de choix, au cœur du site autrefois occupé par l'église Saint-Jacques. Le clocher et le transept ont non seulement été rescapés du passé, ils semblent aussi orchestrer l'organisation et la luminosité du pavillon.

1. Galerie de l'UQAM. © Photo : David Manseau
2. Le Vivier : *My 20th Century* / prestation de Tim Brady. © Photo : Laurence Labat
3. Détail de la façade de la Grande Bibliothèque. © Photo : Alain Juteau/Dreamstime.com

Galerie de l'UQAM

[art actuel, artistes émergents, rayonnement international]

La **Galerie de l'UQAM (11 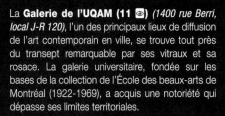)** *(1400 rue Berri, local J-R 120)*, l'un des principaux lieux de diffusion de l'art contemporain en ville, se trouve tout près du transept remarquable par ses vitraux et sa rosace. La galerie universitaire, fondée sur les bases de la collection de l'École des beaux-arts de Montréal (1922-1969), a acquis une notoriété qui dépasse ses limites territoriales.

Ses partenaires sont nombreux au pays, et au-delà aussi. Avec des expositions de son cru et par l'entregent de sa directrice Louise Déry, la Galerie de l'UQAM a déjà rayonné à la Biennale de Venise et à celle d'Istanbul. Si sa programmation garde une fenêtre pour les pratiques des étudiants de l'UQAM – entre autres avec *Paramètres*, une tradition de fin d'année –, des manifestations de portée nationale et internationale demeurent sa priorité.

La configuration de ses espaces, sur deux paliers, la rend unique. La plus grande salle, dotée d'une colonne de béton en plein centre, a son propre cachet. Mais surtout, la Galerie de l'UQAM a pu bénéficier d'un important bassin de population qui a façonné son histoire. Elle a, à son tour, lancé la carrière de chercheurs issus des programmes d'histoire de l'art ou de muséologie de l'établissement.

Le pavillon Judith-Jasmin de l'UQAM occupe une place de choix dans le Quartier latin. Sa sortie nord-ouest donne directement sur la rue Saint-Denis, une des artères de Montréal les plus animées jour et soir, particulièrement ici, entre le boulevard De Maisonneuve et la rue Ontario.

On y trouve un complexe de cinéma, le **Quartier Latin (12 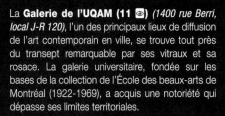)** *(350 rue Émery)*, les deux salles du **Théâtre Saint-Denis (13)** *(1594 rue Saint-Denis)*, connues pour leurs programmations en humour et en comédies musicales, ainsi qu'un bâtiment Beaux-Arts, autrefois site de la **Bibliothèque Saint-Sulpice (14)** *(1700 rue Saint-Denis)*, aujourd'hui en cours de restauration après une longue période de quasi-abandon. **Le Vivier**, regroupement de 27 organismes en musiques nouvelles, s'établira là pour en faire un lieu voué à la recherche et à la diffusion avec des salles de concerts et de répétition et des résidences pour artistes et chercheurs. L'ouverture est prévue pour 2015.

Côté restos et bars, les choix sont multiples et diversifiés, du très singulier **Commensal** *(1720 rue Saint-Denis)*, chaîne locale de cuisine santé, au bistro d'allure française, **La Brioche Lyonnaise** *(1593 rue Saint-Denis)*, du repaire pour fêtards à l'immense terrasse, **Le Saint-Sulpice** *(1680 rue Saint-Denis)*, au «temple du blues», **Le Bistro à Jojo** *(1627 rue Saint-Denis)*. Les amateurs de pub écossais, eux, s'arrêtent à **L'Île Noire** *(1649 rue Saint-Denis)*.

C'est dans cet univers éclaté, où la faune étudiante se confond avec les banlieusards attisés par la fièvre montréalaise, que le **Café Chaos (15 🔊)** *(2031 rue Saint-Denis)* a formulé sa contrastante identité. Cette coopérative offre aussi bien des *caffè latte* que de la musique punk. Une salle de concerts loge à l'étage, alors qu'au rez-de-chaussée, un DJ crée une ambiance propice à la dégustation de thés biologiques et équitables ou de bières de microbrasseries.

L'animation nocturne n'est pas que pure consommation. La rue Saint-Denis, y compris le clocher de l'ancienne église Saint-Jacques, un des accès de l'UQAM, bénéficient depuis peu d'éclairages ou d'accessoires lumineux novateurs, qui font partie du **Parcours lumière** du Quartier des spectacles.

Face à la rue Émery, empruntez la place Paul-Émile-Borduas, baptisée ainsi comme un petit hommage au père de l'automatisme, mouvement qui a renouvelé la pratique artistique dans le Québec des années 1940. La murale **Manifeste à Paul-Émile Borduas** (16 🖾) (2010), de Thomas Csano et l'organisme MU, complète ce salut. Au bout de la ruelle se dresse la Grande Bibliothèque. Une porte vous permet d'y accéder.

Inaugurée en 2005 et gérée par Bibliothèque et Archives nationales du Québec, la **Grande Bibliothèque (17 🖾🖾)** *(475 boul. De Maisonneuve E.)* est un lieu rassembleur, porte-étendard de la culture, pas seulement littéraire. Son auditorium sert aussi bien à des conférences qu'à des projections de films ou à des spectacles. Trois œuvres d'art et un aménagement paysager ont été intégrés à cette architecture, notamment **Voix sans bruit (17 🖾)** (2005), de Louise Viger, un mur lumineux à découvrir au niveau du métro, et la sculpture **Espace fractal (17 🖾)** (2005), de Jean-Pierre Morin, pièce verticale qui joue sur la dualité – des matériaux, des formes – et que l'on peut observer autant du boulevard De Maisonneuve que d'un passage souterrain.

↘ *Traversez la bibliothèque et sortez du côté du boulevard De Maisonneuve.*

1

La **place Émilie-Gamelin (18** 🖼**)** *(entre le boulevard De Maisonneuve et la rue Sainte-Catherine, et entre les rues Berri et Saint-Hubert)* joue, pour beaucoup, le rôle d'agora publique. Les gens ont pris l'habitude de se donner rendez-vous au pied de l'installation à trois éléments, trois immenses mâts, *Gratte-ciel, cascades d'eau/rues, ruisseaux... une construction* **(18** 🖼**)** (1992), de Melvin Charney. Le site, l'été, s'avère un agréable lieu de repos, alors que, le temps des révoltes sociales, elle sert de point de départ pour les manifs.

Plusieurs événements culturels ont choisi la place Émilie-Gamelin comme quartier général. **Montréal Complètement Cirque** et son volet plein air *(juillet)* ou les projets d'aide sociale de l'Action terroriste socialement acceptable, tel le défunt **État d'urgence** *(novembre)*, comptent parmi les plus connus. L'été, il y a concerts gratuits le midi, alors que les pousseurs de pions, eux, se font plaisir avec les immenses jeux d'échecs aménagés sur place.

↘ *Rendez-vous dans la partie sud de la place Émilie-Gamelin, aux abords de l'entrée de la station de métro.*

Si vous marchez du côté de l'UQAM, observez les dernières vitres au niveau du trottoir. La Galerie de l'UQAM se trouve juste derrière, et les images que vous apercevez ont été réalisées dans ses espaces. Il s'agit d'une série photographique autour du statut de l'objet artistique et de son pouvoir de réflexion. Les trois panneaux de **Carrés gris (19** 🖼**)** (2010), de Gwenaël Bélanger, peuvent même être appréciés, voire mieux appréciés, le soir venu.

Notez, à l'angle des rues Berri et Sainte-Catherine, la magnifique devanture du magasin de disques et d'instruments **Archambault** *(500 rue Sainte-Catherine E.)*. Son enseigne verticale et lumineuse trahit l'âge du commerce. Là où vous vous trouvez, sur le trottoir face au disquaire, prennent place depuis quelques années les expositions de **Mouvement art public - MAP**, un groupe dévoué à la diffusion de la photographie.

Si vous avez un p'tit creux, n'hésitez pas à vous aventurer du côté de la petite rue Labelle. Elle ne paie pas de mine, vrai, pas plus que la vitrine de la sandwicherie qu'on vous pointe. Mais osez entrer dans **Labelle Petite Cuisine** *(1285 rue Labelle)*, vous ne le regretterez pas. Grande variété de pains et service d'une bienvenue simplicité vous accueilleront. Il n'y a pas meilleur boui-boui en ville.

L'Escalier (20 🎵**)** *(552 rue Sainte-Catherine E.)* et ses quelques marches menant à un précieux paradis de musiques surplombent la place Émilie-Gamelin et ses environs. Sans dédain. Car à L'Escalier, une ambiance décontractée règne. Voilà un lieu approprié à tous les genres (folk, pop, jazz, jam...), où il y a spectacle tous les soirs.

2

1. Vue de *La Piscine* par NIPpaysage à la place Émilie-Gamelin.
   © Photo : Frédérique Ménard-Aubin/Partenariat du Quartier des spectacles
2. Un spectacle à L'Olympia. © Photo : Carl Thériault

Le Village

[arts numériques, arts de la scène, galeries]

C'est à partir de la rue Saint-Hubert, et sur près de 1000 m vers l'est, que la rue Sainte-Catherine devient l'été une artère exclusive aux piétons. C'est aussi à partir d'ici que commence le Village gay, ou « le Village », simplement. La rue Sainte-Catherine en est sa principale vitrine.

↘ *Marchez dans la rue Sainte-Catherine jusqu'à la rue Amherst.*

La rue Sainte-Catherine, cœur du Village, n'est pas seulement fréquentée par les gays et lesbiennes. Des amateurs de culture, peu importe leur orientation sexuelle, l'apprécient tout autant. Cette partie de l'artère a une longue tradition, comme en témoigne la présence de plusieurs majestueuses salles. Si le Ouimetoscope, le premier cinéma de Montréal, a fini par fermer dans les années 1990, il reste aujourd'hui **L'Olympia (21 🎵📷)** *(1004 rue Sainte-Catherine E.)* et **Le National (22 🎵📷)** *(1220 rue Sainte-Catherine E.)* pour garder vive la flamme de l'époque où la société « canadienne-française » avait fait de la Sainte-Catherine sa destination. Le premier, qui a conservé son lustre d'antan notamment par la préservation de son décor, continue d'être un lieu culte pour le monde des variétés et de la chanson. Le second, lieu mythique inclus même dans la littérature (*La Duchesse et le roturier*, 1982, Michel Tremblay), a lui aussi conservé son attrait auprès des artistes du spectacle et de leurs fidèles amateurs.

1

La rue Amherst possède ses destinations culturelles, du moins pour ceux qui cherchent à garnir leur collection d'art. Au sud de la rue Sainte-Catherine, et même au-delà du boulevard René-Lévesque, se niche la **Galerie Dominique Bouffard (23 ⊚)** *(1000 rue Amherst, espace 101)*, une des plus actives de Montréal et de l'Association des galeries d'art contemporain. Non loin de là, la **Galerie D (24 ⊚)** *(1239 rue Amherst)* offre un contexte de diffusion plutôt singulier : elle partage ses espaces avec un cabinet de dentistes. **Zéphyr, lieu d'art (25 ⊚)** *(2112 rue Amherst)*, lui, consacre ses efforts à défendre des artistes actifs dans l'art urbain et le pop.

> ⇘ *Marchez vers le nord dans la rue Amherst, axe commercial important, complémentaire de la rue Sainte-Catherine. Rendez-vous à la rue Ontario.*

L'**Écomusée du fier monde (26 ⊚)** *(2050 rue Amherst)* propose un voyage au temps de la Révolution industrielle. Musée d'histoire et

musée citoyen, il invite à explorer l'histoire du travail et à réfléchir sur les enjeux sociaux de son milieu. L'Écomusée loge dans l'ancien bain public Généreux, un magnifique exemple de l'architecture des années 1920.

Devant l'Écomusée se trouve le **marché Saint-Jacques** *(angle des rues Amherst et Ontario)*, un autre bâtiment historique. Si son esplanade est bien animée, surtout l'été, par les marchands qui y prennent place, son intérieur a longtemps été marginalisé. Ce n'est que récemment qu'il y a eu regain d'intérêt pour lui et que de nouveaux commerçants y ont élu domicile.

> ⇘ *Rue Ontario, marchez vers l'est jusqu'à la rue de la Visitation. Tournez à droite et rendez-vous au prochain coin, à l'avenue Lalonde.*

1. Zéphyr, lieu d'art. © Photo : Franck Lansiaux
2. Usine C. © Photo : Aurélien Pallier Colinot

Le **Théâtre Prospero (28 🏛)** *(1371 rue Ontario E.)* jouit d'une réputation similaire à celle de l'Usine C : exploration et découvertes y attendent le public. Ici, par contre, c'est essentiellement le texte et le jeu d'acteur qui sont à la base du programme. La compagnie Le Groupe de la Veillée, fondée par Gabriel Arcand, dirige ce théâtre et mise sur les «voix d'ailleurs», celles d'auteurs peu connus et moins diffusés au Québec.

Distant du Prospero d'environ quatre rues, le **Lion d'Or (29 🎵)** *(1676 rue Ontario E.)* anime le secteur de ses soirées musicales où la chanson à texte reçoit les grandes faveurs. Cette belle salle de style cabaret, née dans les années 1930 et finement restaurée au fil du temps afin d'en conserver le style Art déco, est à la fois chic, intimiste et chaleureuse, et fait partie du circuit montréalais des spectacles. On y joue aussi du jazz, tout comme on y enregistre des émissions de radio ou télé.

Adjacent au Lion d'Or, le restaurant **Au Petit Extra** *(1690 rue Ontario E.)*, réputée adresse de cuisine française, s'imbibe de cette même époque Beaux-Arts qui a donné naissance à la salle de spectacle. À eux deux, ils en ont fait beaucoup dans les années 1990 pour la revitalisation de ce coin de la ville.

1

La maison de la culture Frontenac

[art actuel, spectacles, art public]

Placée au cœur du secteur est des Faubourgs, la **maison de la culture Frontenac (31 🎵◉📱)** *(2550 rue Ontario E.)* en est aussi un peu, beaucoup, son poumon. Et elle rayonne au-delà de son quartier. C'est pour sa programmation, en arts de la scène et en arts visuels, qu'on accourt dans les parages.

Adjacente à la station de métro du même nom, et abritant également une bibliothèque, la maison de la culture Frontenac est une des plus réputées de tout le réseau Accès Culture de la Ville de Montréal. Ses deux salles d'exposition, parmi les plus souples, se découvrent au bout d'une longue rampe. En chemin, on passe devant un hall ouvert souvent réservé à des projets d'artistes du quartier, puis devant une des œuvres intégrées au bâtiment, la photographie *Les Écorchés (Pierre)* (1999), de Roberto Pellegrinuzzi. Ce portrait d'un homme aux yeux fermés, morcelé et rassemblé avec des épingles – signature reconnue de l'artiste –, fait tellement partie des lieux que si la Ville décidait de lui trouver un autre emplacement, il y aurait un grand vide.

Les grandes manifestations telles que **Le Mois de la Photo à Montréal** *(un automne sur deux)*, et ce depuis longtemps, ou alors la très jeune **Biennale internationale d'art numérique** *(mai)* n'hésitent pas y loger une de leurs expos. Les événements insolites, comme les « cartes blanches » offertes aux régions du Québec pour exposer leurs artistes, s'arrêtent aussi, presque par devoir, à Frontenac.

À noter que la maison de la culture possède une belle salle de spectacle dont profitent une grande variété d'artistes de la chanson, du jazz ou des musiques du monde. C'est là, par exemple, qu'Edgar Fruitier, le mélomane, présente depuis 17 ans (!) **Les Lundis d'Edgar**, une programmation de concerts intimes. Et gratuits, comme tout ce qui se déroule dans les maisons de la culture.

↘ *Les environs de la maison de la culture peuvent être scindés en deux. Pour la première partie, marchez vers l'ouest dans la rue Ontario jusqu'à la rue Fullum.*

Ancien quartier ouvrier, le secteur conserve plus d'une trace de ce passé. Certaines d'entre elles demeurent même actives, comme le bâtiment en brique rouge qui s'impose dans la rue Ontario. Magnifiquement orné, notamment par son horloge et sa balustrade intégrées à une tourelle dominante, il abrite le siège canadien de la multinationale de tabac **JTI-Macdonald** *(2455 rue Ontario E.)*. Quelque 300 travailleurs œuvrent dans cet édifice érigé en 1875.

Le resto **Touski** *(2361 rue Ontario E.)* n'est pas seulement fréquenté par les ouvriers, mais le succès de cette coopérative de travail en dit beaucoup sur l'esprit communautaire et les principes d'entraide qui règnent dans le coin. Chez Touski – entreprise équitable valorisant même «tout-ce-qui» reste –, toute âme artistique est bienvenue. Expositions, cabarets littéraires et concerts animent l'endroit semaine après semaine.

Espace Libre (32) *(1945 rue Fullum)*, antre du théâtre des plus novateurs, est l'autre grand pôle du quartier. Sous le toit d'un ancien poste de pompiers s'élaborent les créations du Nouveau Théâtre Expérimental et d'Omnibus, compagnie de mime. Fondée en 1981 sous le toit d'une ancienne caserne de pompiers, l'entité a été associée aux grands noms de l'art dramatique québécois, ceux qui n'ont peur ni des mots ni des mises en scènes audacieuses, tels que Robert Gravel, Jean-Pierre Ronfard ou Alexis Martin. Depuis 2001, Espace Libre occupe un lieu adapté à la mesure de ses risques, avec une salle à géométrie variable. Une dizaine de troupes passe en ses murs chaque année, dont deux résidentes, le NTE (Nouveau Théâtre Expérimental) et Omnibus, le corps du théâtre. Tous y font du théâtre de recherche, d'audace et d'exploration. Le bâtiment du début du XXᵉ siècle, rénové avec grâce par l'architecte Michel Lapointe, n'a pas perdu pour autant ses charmes Beaux-Arts.

↘ *La rue Parthenais se trouve à une rue à l'ouest de Fullum. Empruntez-la vers le nord jusqu'à la rue Larivière.*

La rue Parthenais, synonyme d'autorité pour plusieurs du fait que s'y niche là, au nᵒ 1701, l'imposant siège social de 15 étages de la Sûreté du Québec, la «police provinciale», est également une artère de créativité où se trouve une concentration importante d'ateliers d'artistes, artisans et designers de mode, mais aussi de galeries d'arts novatrices, tous installés dans d'anciennes manufactures textiles.

L'édifice Grover (33 ☺) *(2065 rue Parthenais)* abrite par exemple son lot d'artistes et d'entreprises à vocation culturelle. En fait, ses 18 000 m² rassemblent la plus grande concentration d'ateliers d'artistes et d'artisans, plus même que le pôle de l'avenue De Gaspé

dans le Mile-End. L'expo-vente **La Virée des ateliers** *(mai)* prend racine dans ce labyrinthe où œuvrent aussi des architectes, des designers, des éditeurs, des compagnies de théâtre et des producteurs de cinéma.

Au nord de la rue Larivière, une autre forte concentration d'artistes s'active à faire des Faubourgs une destination culturelle. **Le Chat des artistes (34 ▣)** et **Monde ruelle (35 ▣)** partagent un autre ancien bâtiment industriel *(2205 rue Parthenais)*. Inauguré en 2008, Le Chat des artistes comporte 43 ateliers, répartis sur trois étages. On y trouve autant des joaillières, des graphistes et des peintres qu'une gamme de professionnels aussi variés qu'une relieuse ou une chapelière. Quant à la galerie Monde Ruelle, elle promeut l'art dit de l'écodesign, ou du recyclage des matériaux, et organise des événements ponctuels tel que le «Bal des lampes», une exposition de luminaires intégrée au festival **Montréal en lumière** *(février)*.

Notez également, à peine plus au nord, la **coopérative Lézarts (36 ☺)** *(2220 rue Parthenais)* et son centre de diffusion et d'expérimentation, joliment baptisé La Chaufferie. Cette coopérative d'habitation est un regroupement d'artistes en arts visuels et médiatiques ayant recyclé une ancienne usine textile du quartier Centre-Sud de Montréal en 33 logements.

↘ *Avant de poursuivre vers l'est, aventurez-vous, par la rue de Rouen, du côté de l'avenue De Lorimier et grimpez jusqu'à la rue Sherbrooke. Un point d'intérêt mêlant danse, architecture et patrimoine religieux se trouve là, à 500 m de marche.*

L'édifice Jean-Pierre-Perreault (37 ▯) *(2022 rue Sherbrooke E.)*, nommé à la mémoire de cette figure marquante de la danse décédée en 2002, abrite le centre chorégraphique Circuit-Est. Comme ce regroupement est destiné avant tout à soutenir la recherche et le perfectionnement en danse contemporaine, le bâtiment n'a pas vraiment de volet diffusion. Or, le public a quand même l'occasion de le visiter, lors d'activités de médiation culturelle ou de répétitions ouvertes devant auditoire.

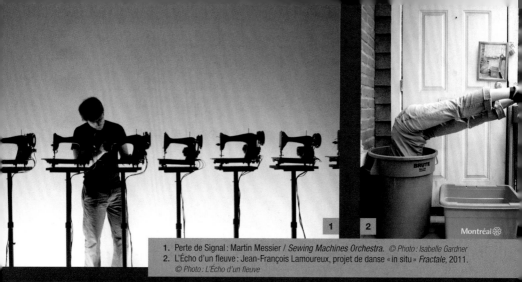

1. Perte de Signal : Martin Messier / *Sewing Machines Orchestra*. © Photo : Isabelle Gardner
2. L'Écho d'un fleuve : Jean-François Lamoureux, projet de danse « in situ » *Fractale*, 2011.
© Photo : L'Écho d'un fleuve

Notez cependant qu'en tout temps, aux heures de bureau *(lundi au vendredi, 9h30 à 16h30)*, il est possible d'y accéder. Selon la disponibilité de l'équipe en place, un petit tour des lieux peut vous être offert. Il faut préciser que l'édifice Jean-Pierre-Perreault est une ancienne église anglicane, érigée au début du XXe siècle. Sa transformation en espace chorégraphique, qui date de 2002, s'est faite sous le doigté de l'architecte Pierre Thibault.

↘ *Revenez à l'angle des rues Parthenais et Larivière.*

Le centre d'artistes **Perte de Signal (38 ▦)** *(2244 rue Larivière)* loge dans l'édifice Grover, mais on y accède seulement par l'arrière, via un escalier en métal qui a l'air d'une sortie secondaire. Cette particularité est à l'image de l'organisme, unique en son genre. Né comme un collectif d'artistes voués aux arts numériques, Perte de Signal n'a pas à proprement parler un espace de diffusion. Ses locaux servent davantage de lieu de recherche, de laboratoire. Pourtant, le groupe ne cesse d'exposer. C'est de partout ailleurs, à Montréal, à l'étranger ou sur le web, que les projets très variés qu'ils défendent (performances audio, projections vidéo, installations mécaniques ou robotiques) émettent leurs signaux.

↘ *Revenez vers la station de métro Frontenac en marchant vers l'est. Empruntez la place Larivière, petite artère en L, avant de rejoindre la rue Dufresne, puis la rue Ontario.*

L'environnement à l'abri des regards de la place Dufresne, mi-ruelle, mi-passage secret derrière le Touski, est à l'image du groupe Péristyle nomade, qui aime marcher hors des sentiers battus. Cette entité tatouée par les racines populaires du quartier organise, entre autres, l'événement **L'Écho d'un fleuve** *(juin)*, un festival interdisciplinaire développé à même la rue. Il ne s'agit que de tendre un peu l'oreille pour l'entendre.

↘ *Pour la seconde partie du parcours dans ce quartier, marchez vers l'est à partir de la station de métro Frontenac, rue Ontario, jusqu'à la rue Florian. En chemin, vous pourrez admirer une œuvre d'art public récente aux abords du Centre Jean-Claude Malépart.*

Parmi les plus récentes acquisitions de la collection d'art public, *Mélangez le Tout* **(39 ▩)** (2011), de Cooke-Sasseville, est sans doute une des plus appréciées. Installée devant l'entrée arrière du **Centre Jean-Claude Malépart** *(2633 rue Ontario E.)*, la sculpture a de quoi frapper puisqu'elle prend la forme d'un batteur à œufs aux proportions exagérées. Décorée du prix Art public, accordé pour la première fois lors du Gala des arts visuels 2012, l'œuvre en aluminium, haute de 5 m, exalte l'identité d'un lieu aux mille vocations, à la fois centre communautaire, sportif et culturel. Actifs depuis le tournant des années 2000 avec des œuvres inspirées de la culture populaire, Jean-François Cooke et Pierre Sasseville connaissent desormais une sorte de consécration publique. Dans le quartier Saint-Michel, la collection municipale d'art public comporte une autre œuvre de ce duo qu'on pourrait baptiser « le Claes Oldenburg du Québec ».

À l'angle de la rue Florian, vous trouverez le **Bain Mathieu (40 🎵👁🎭)** *(2915 rue Ontario E.)*, bâtiment de 1930 sauvé de l'oubli en l'an 2000 par la Société pour Promouvoir les Arts Gigantesques (SPAG). De bain public, l'endroit, en plus d'être un atelier de création, est devenu une salle multifonctionnelle. Les défilés de mode, les soirées de cabaret, les pièces de théâtre et, surtout, les

concerts de musique électronique composent aujourd'hui sa nouvelle vocation. À noter aussi, tout de même, l'exposition permanente consacrée à l'histoire des bains.

↳ *Les Faubourgs prennent fin ici, avec la voie ferrée. De l'autre côté débute Hochelaga-Maisonneuve, HoMa pour les intimes. Prenez note que ce parcours pédestre nécessite beaucoup de temps. Nous vous suggérons néanmoins quelques sites d'intérêt, dont le prochain, situé à plus de 1 km de distance. Poursuivez par la rue Ontario, tournez à droite dans la rue Moreau et marchez jusqu'à la rue Sainte-Catherine, que vous emprunterez sur 350 m, ou trois rues.*

1. Zone HOMA. © *Photo : Guillaume Briand*
2. Zone HOMA. © *Photo : Sara Tatai*

HoMa
[diversité culturelle, patrimoine, recyclage architectural]

Guido Molinari (1933-2004), un des monstres de la peinture non-figurative au Québec, apparu à la fin des années 1950 au sein d'un mouvement connu comme le « deuxième groupe des Plasticiens », avait fait d'Hochelaga son quartier. Il avait établi son nid dans les locaux d'une ancienne banque. Imaginez : son atelier se trouvait dans le coffre-fort de l'institution. À sa mort, la **Fondation Molinari (41 👁)** *(3290 rue Sainte-Catherine E.)* a pris le relais. Restauré, l'ancien gîte du peintre peut être visité. Il abrite aujourd'hui un centre de conservation et de diffusion pour les artistes de la relève, une manière d'honorer la mémoire de Molinari.

↳ *Par la rue Darling, revenez à la rue Ontario, une marche d'environ 600 m.*

La Promenade Ontario, le cœur commercial du quartier, commence à peu près ici. Elle offre une variété de commerces indépendants. Ne manquez pas de visiter au moins une de ces deux belles

curiosités : le **Bobby McGee** *(3213 rue Ontario E.)*, un café-bouquinerie et disquaire (de vinyles!) où le temps semble s'être arrêté, et l'**Atomic Café** *(3606 rue Ontario E.)*, doté d'un judicieux décor vintage, dont le local est partagé par **Le Septième**, un des derniers clubs vidéo de répertoire. Profitez-en pour faire ici une pause-toilettes : vous découvrirez de vieilles photos, des pavillons d'Expo 67, et pas nécessairement les plus connus. Ceux qui pensent plutôt à déguster une chope de bière doivent chercher la microbrasserie **L'Espace public** *(3632 rue Ontario E.)*.

↳ *La Promenade Ontario débouche dans le secteur « Maisonneuve » de HoMa, à l'angle du boulevard Pie-IX.*

Jadis ville autonome, dont le développement était lié à l'industrie de la manufacture, Maisonneuve a fusionné avec Montréal en 1918, sous la pression des dettes. L'extravagance dépensière menée par

Parc
Maisonneuve

Stade
Saputo

boul. Pie-IX

47

rue Sherbrooke Est

46

Biodôme

Aréna
Maurice-Richard

Stade
Olympique

rue Rachel E.

48

VIAU

av. Charlemagne

PIE-IX

av. Pierre-De Coubertin

Parc
Théodore

rue Viau
rue St-Clément
rue Théodore
rue Leclaire
rue Sicard
av. Aird
av. Bennett

rue Hochelaga

av. Letourneux

av. D'Orléans
av. Jeanne-d'Arc
boul. Pie-IX
av. Desjardins
av. Bourbonnière

rue de Rouen

av. De La Salle

Marché
Maisonneuve

44

Parc
Ovila-
Pelletier

43

rue Ontario Est

Quartier latin,
Les Faubourgs p.158-159

rue Ontario Est

42

av. Letourneux
boul. Morgan
av. William-David

rue La Fontaine

rue Adam

rue Adam

rue Nicolet
av. Valois

45

rue Sainte-Cather

...ches bourgeois est encore palpable ...ertaines majestueuses architectures dans ... Ontario et tout autour, notamment l'**ancien ...tel de ville** *(4120 rue Ontario E.)*, aujourd'hui bibliothèque, le **Bain Morgan** *(1875 boul. Morgan)*, redevenue piscine publique à une époque récente, et l'ancien **marché Maisonneuve** *(4375 rue Ontario E.)*, qui reprend ses airs de marché lors d'activités extérieures. Les façades, le décor, la hauteur... Ces bâtiments portent les mêmes rêves de grandeur.

À travers cette teinte de prestige, le quartier s'est donné aujourd'hui une image plus en lien avec son époque, plus jeune et plus créative. Centrale à ce renouveau, la **maison de la culture Maisonneuve (42 🎵)** *(4200 rue Ontario E.)*, une des plus jeunes du réseau, occupe depuis 2005 un autre ancien poste de pompiers, celui-ci construit en 1912. L'endroit s'est surtout fait un nom par les spectacles qui y ont pris racine, notamment ceux venus par le groupe **Zone Homa**. À la fois lieu d'expérimentation et projet artistique, Zone Homa propose, l'été venu, une plate-forme pour jeunes créateurs de tous horizons. Les musiciens de la relève ont particulièrement mis à profit cette plage depuis son instauration en 2009.

Autre festival de la scène initié par la maison de la culture Maisonneuve, **Les Petits Bonheurs** *(mai)* s'adressent aux enfants de six ans et moins. Ce « rendez-vous culturel des tout-petits », fort varié et international, comprend surtout du théâtre, un peu de marionnettes et de danse, parfois d'autre chose.

Si vous vous rendez jusqu'à l'ancien marché Maisonneuve – une distance de 350 m à partir de la maison de la culture –, profitez-en pour apprécier la sculpture-fontaine placée devant le vieux bâtiment. L'œuvre *La Fermière* **(43 🖼)** (1915) est une des plus importantes réalisations d'Alfred Laliberté, figure marquante de l'art québécois du début du XXe siècle. Cet ensemble en bronze rend hommage à une mère nourricière, héroïne du quotidien. Le hall d'entrée, lui, abrite depuis peu un triptyque photographique, *Éclosion – Une autre journée au paradis* **(44 🖼)** (2007), de Marisa Portolese, qui célèbre l'enfance et l'imagination.

C'est dans ce décor patrimonial, sur la place ... ...hé Maisonneuve ...

de populaires séances de danse en ligne, sous la direction d'un animateur enjoué. Dès l'arrivée du temps plus clément, soit en mai, et ce, deux fois par semaine, des gens de tous âges et origines se donnent rendez-vous pour offrir un spectacle contagieux.

↘ *Pour rejoindre la rue Sainte-Catherine, marchez sur le boulevard Morgan.*

La culture dans Maisonneuve rayonne à partir de cette partie de la rue Ontario. Au sud, le **Bistro In Vivo** *(4264 rue Sainte-Catherine E.)*, une coopérative de travail, s'offre, dans un contexte de gastronomie, comme une salle de spectacle unique que même le festival **Coups de cœurs francophones** *(novembre)* met à profit.

Sur la même artère, un peu plus à l'est, le **Théâtre Denise-Pelletier (45 🏛)** *(4353 rue Sainte-Catherine E.)* agit depuis plus de 45 ans comme un pôle culturel pour le quartier. Même si sa noble mission demeure celle d'initier les jeunes au théâtre, c'est tout le public qui gagne à suivre sa programmation, axée sur les pièces de répertoire. Rénové en 2009, l'édifice de 1929 autrefois célèbre cinéma Granada, a retrouvé son lustre d'antan. Cependant, il s'est doté aussi d'une touche contemporaine, notamment avec la présence d'une œuvre publique, au sol, *La (Les) Leçon(s) plurielle(s)* **(45 🖼)**, de Rose-Marie Goulet.

↘ *Revenez au boulevard Pie-IX. Un peu au nord de la rue Sainte-Catherine, se trouve un arrêt d'autobus, ligne 139. Prenez le bus vers le nord pour vous rendre au Parc olympique. La durée du trajet est d'une dizaine de minutes. Descendez à l'arrêt devant la station de métro Pie-IX.*

C'est derrière la station de métro Pie-IX que se dresse le **Parc olympique** *(entre l'avenue Pierre-De Coubertin et la rue Sherbrooke, et entre le boulevard Pie-IX et la rue Viau)*, avec les quatre organismes regroupés sous l'appellation **Espace pour la vie** (Jardin botanique, Insectarium, Biodôme, Planétarium). Cet environnement de béton et de nature, blanc et vert, attire d'une part des *skaters* à la recherche de sensations fortes, d'autre part des amoureux du plein air, de la faune et de la flore. La créativité, elle, se mesure par petites doses. Certes, les formes futuristes des bâtiments...

L'événement Jardins de lumière, au Jardin botanique. © Photo : Michel Julien

olympiques en imposent aux yeux, et de loin, mais l'héritage des JO de 1976 pèse encore lourdement sur la population. Cet ensemble architectural, qui comprend le Biodôme, autrefois vélodrome, reçoit rarement des fleurs, et pourtant...

Pour retrouver un brin de culture, les gens se dirigent vers le **Centre Pierre-Charbonneau (46 🎵)** *(3000 rue Viau)*. Cette installation olympique en 1976 accueille aujourd'hui une grande variété d'activités, notamment **Les Concerts populaires de Montréal** *(juin à août)*, tenus par l'organisme Orgue et couleurs en collaboration avec la maison de la culture Maisonneuve.

Au **Jardin botanique (47 🏞)** *(4101 rue Sherbrooke E.)*, également, des événements populaires mettent en relief la créativité. Les soirs d'automne, le Jardin de Chine et le Jardin japonais se transforment en **Jardins de lumière** *(septembre à novembre)*, sans doute parmi les manifestations les plus appréciées. Ailleurs dans le Jardin botanique, dans la vaste section baptisée Arboretum, une œuvre en laiton et en acier a récemment poussé parmi la verdure. *Un jardin à soi (47 🏞)* (2011), de Michel Goulet, l'incontournable de l'art public

invite chaque promeneur à enraciner son histoire personnelle dans cette grande aire ouverte.

Notez également la présence, dans le voisinage proche du Jardin botanique et du Parc olympique, du **Château Dufresne (48 👁)** *(2929 av. Jeanne-d'Arc)*, admirable ensemble domiciliaire de 1918 qui se dresse à l'angle de la rue Sherbrooke et du boulevard Pie-IX. Du même style Beaux-Arts qui domine plus au sud, rue Ontario, ces maisons de ville ont été réalisées par Marius Dufresne, l'architecte qui a travaillé sur l'ancien marché Maisonneuve. Sa résidence, un étonnant mariage de formes et de styles, abrite aujourd'hui un musée dédié à sa préservation. Parmi ses plus chers trésors figurent le décor peint et les vitraux de Guido Nincheri, célèbre fresquiste de l'époque. L'atelier de Nincheri se trouve dans les environs, et le musée du Château Dufresne y organise des visites ponctuelles, tout en espérant pouvoir l'ouvrir aux visiteurs de manière permanente.

↘ *Le parcours se termine ici. Notez que deux stations de métro ceinturent le site olympique, Pie-IX, à l'ouest, et Viau, à l'est.*

Carnet d'adresses créatif

Arts visuels

Centre de diffusion et d'expérimentation (CDEx)
heures d'ouverture variables; 405 rue Sainte-Catherine E., local J-R930, 514-987-8289, www.cdex.uqam.ca

Coopérative Lézarts
heures d'ouverture variables; 2220 rue Parthenais, 514-223-4162, www.cooplezarts.org

Fondation Molinari
heures d'ouverture variables; 3290 rue Sainte-Catherine E., 514-524-2870, www.guidomolinari.com

Fresh Paint!
mer-jeu et dim 13h à 21h, ven-sam 13h à 22h; 180 rue Sainte-Catherine E., freshpaintmtl.com

Galerie D
heures d'ouverture variables; 1239 rue Amherst, 514-523-5535, www.galeriedentaire.com

Galerie Dominique Bouffard
mer-ven 11h à 18h, sam-dim 12h à 17h; 1000 rue Amherst, espace 101, 514-678-7054, www.galeriedominiquebouffard.com

Galerie de l'UQAM
mar-sam 12h à 18h; 1400 rue Berri, local J-R 120, 514-987-8421, www.galerie.uqam.ca

Les Impatients
lun-ven 10h à 17h, sam-dim 13h à 17h; 100 rue Sherbrooke E., local 4000, 514-842-1043, impatients.ca

Maison de la culture Frontenac
mar-jeu 13h à 19h, ven-dim 13h à 17h, fermé les dim d'été; 2550 rue Ontario E., 514-872-7882, www.accesculture.com

Maison de la culture Maisonneuve
jeu-dim 13h à 17h; 4200 rue Ontario E., 514-872-2200, www.accesculture.com

Zéphyr, lieu d'art
lun-sam 10h à 17h; 2112 rue Amherst, 514-529-9199, www.galeriezephyr2112.com

Arts numériques

Perte de signal
2244 rue Larivière, 514-273-4813, perte-de-signal.org

Design

Centre de design de l'UQAM
mer-dim 12h à 18h; 1440 rue Sanguinet, 514-987-3395, www.centrededesign.com

Le Chat des artistes
2205 rue Parthenais, 514-522-1221, www.chatdesartistes.org

Monde ruelle
mar-mer et sam 12h à 17h, jeu-ven 12h à 19h; 2205 rue Parthenais, espace 112, 514-290-3338, www.monderuelle.com

Arts de la scène

Circuit-Est centre chorégraphique / édifice Jean-Pierre-Perreault
2022 rue Sherbrooke E., 514-525-1569,
www.circuit-est.qc.ca

Espace Libre
1945 rue Fullum, 514-521-4191,
www.espacelibre.qc.ca

Maison Théâtre
245 rue Ontario E., 514-288-7211,
www.maisontheatre.com

Théâtre Denise-Pelletier
4353 rue Sainte-Catherine E., 514-253-8974,
www.denise-pelletier.qc.ca

Théâtre Prospero
1371 rue Ontario E., 514-526-6582,
www.theatreprospero.com

Théâtre Saint-Denis
1594 rue Saint-Denis, 514-849-4211,
theatrestdenis.com

Théâtre Sainte-Catherine
264 rue Sainte-Catherine E., 514-284-3939,
www.theatresaintecatherine.com

Usine C
1345 av. Lalonde, 514-521-4493, www.usine-c.com

 # Musique

Bain Mathieu
2915 rue Ontario E., 514-523-3265,
www.bainmathieu.com

Café Chaos
2031 rue Saint-Denis, 514-844-1301,
www.myspace.com/cafechaos

Centre Pierre-Charbonneau
3000 rue Viau, 514-872-6644,
centrepierrecharbonneau.com

Centre Pierre-Péladeau
300 boul. De Maisonneuve E., 514-987-4691,
www.centrepierrepeladeau.uqam.ca

Chapelle historique du Bon-Pasteur
100 rue Sherbrooke E., 514-872-5338,
ville.montreal.qc.ca/chapellebonpasteur

L'Escalier
552 rue Sainte-Catherine E., 514-419-6609,
lescalier-montreal.com

Lion d'Or
1676 rue Ontario E., 514-598-0709,
www.cabaretliondor.com

Le National
1220 rue Sainte-Catherine E., 514-845-2014,
www.lenational.ca

L'Olympia
1004 rue Sainte-Catherine E., 514-845-3524,
www.olympiamontreal.com

Le Vivier
100 rue Sherbrooke E., local 300, 514-903-7794,
www.levivier.ca

Zone Homa
4200 rue Ontario E., 514-872-2200, www.zonehoma.com

Musées

Château Dufresne
2929 rue Jeanne-d'Arc, 514-259-9201,
www.chateaudufresne.com

Écomusée du fier monde
2050 rue Amherst, 514-528-8444, ecomusee.qc.ca

Grande Bibliothèque
475 boul. De Maisonneuve E., 514-873-1100,
www.banq.qc.ca

Jardin botanique
4101 rue Sherbrooke E., 514-872-1400,
espacepourlavie.ca/jardin-botanique

Cinémas

Cinémas Quartier Latin
350 rue Émery, 514-849-2244,
www.cineplex.com

Cinémathèque québécoise
335 boul. De Maisonneuve E., 514-842-9768,
www.cinematheque.qc.ca

Bars, cafés, commerces

L'Amère à boire, brasserie artisanale, 2049 rue Saint-Denis, Quartier latin

Archambault, disques, instruments, livres, 500 rue Sainte-Catherine E., Quartier latin

Atomic Café, casse-croûte, 3606 rue Ontario E., HoMa

Au Petit Extra, restaurant, 1690 rue Ontario E., Village

Be Bap, bar à riz, 1429 rue Amherst, Village

Le Bistro à Jojo, bar, 1627 rue Saint-Denis, Quartier latin

Bistro In Vivo, restaurant, 4264 rue Sainte-Catherine E., HoMa

Bobby McGee, café-bouquinerie, 3213 rue Ontario E., HoMa

La Brioche Lyonnaise, restaurant, 1593 rue Saint-Denis, Quartier latin

Cabaret Mado, 1115 rue Sainte-Catherine E., Village

Café de l'Usine C, bistro, 1345 av. Lalonde, Village

La Capoterie, boutique érotique, 2061 rue Saint-Denis, Quartier latin

Le Cheval blanc, microbrasserie, 809 rue Ontario E., Quartier latin

Chez Ma Grosse Truie Chérie, restaurant, 1801 rue Ontario E., Village

Le Commensal, restaurant, 1720 rue Saint-Denis, Quartier latin

La Cordée Plein Air, boutique, 2159 rue Sainte-Catherine E., secteur station de métro Papineau

DeSerres, matériel d'artistes, 334 rue Sainte-Catherine E., Quartier latin

L'Espace Public, bar, 3632 rue Ontario E., HoMa

Librairie Zone Libre, 262 rue Sainte-Catherine E., Quartier latin

Miyako, restaurant, 1439 rue Amherst, Village

Le Parchemin, papeterie et boutique-bijouterie, 505 rue Sainte-Catherine E. (station de métro Berri-UQAM), Quartier latin

Le Pèlerin-Magellan, restaurant-bar, 330 rue Ontario E., Quartier latin

Pub L'Île Noire, 1649 rue Saint-Denis, Quartier latin

Le Saint-Sulpice, bar, 1680 rue Saint-Denis, Quartier latin

Sandwicherie Labelle Petite Cuisine, 1285 rue Labelle, Quartier latin

Le Septième, club vidéo, 3606 rue Ontario E., HoMa

Touski, restaurant, 2361 rue Ontario E., secteur station de métro Frontenac

Le Valois, restaurant, 25 place Simon-Valois, HoMa

Wawel, pâtisserie, 2543 rue Ontario E., secteur station de métro Frontenac

CÔTE-DES-NEIGES, NOTRE-DAME-DE-GRÂCE, SAINT-LAURENT

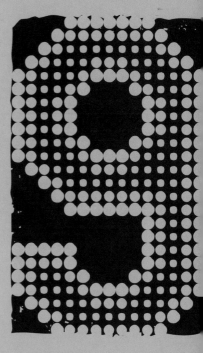

Face à face, théâtre et musique
Le Centre Segal, avec *The Sacrifice* d'Ilan Averbuch, et la salle Claude-Champagne de l'Université de Montréal.
© Denis Farley

Autour du mont Royal, en fait sur ses versants nord et ouest, se dressent les quartiers Côte-des-Neiges et Notre-Dame-de-Grâce, qui forment aujourd'hui un seul et même arrondissement de la Ville de Montréal. Jumelés, mais pas tout à fait jumeaux, ces deux secteurs ont leur propre identité.

Le premier, plus connu et fréquenté, notamment comme pôle touristique en raison de la présence de l'Oratoire Saint-Joseph, est habité par une population très variée. Ce quartier, un des plus multiethniques de Montréal, abrite une forte concentration de jeunes adultes, ceux qu'attire l'Université de Montréal. Le second, presque exclusivement résidentiel, a une âme plus marquée par la communauté anglophone, qui y habite depuis longtemps. On désigne d'ailleurs plus souvent qu'autrement le quartier par ses initiales (NDG), prononcées à l'anglaise [èndidji].

À cet arrondissement bicéphale, le parcours propose d'ajouter un quartier plus au nord, l'ancienne ville de Saint-Laurent, aujourd'hui un arrondissement montréalais. Lui aussi est un secteur très cosmopolite. Les communautés anglophone et francophone cohabitent de longue date ici, auxquelles se sont ajoutées dans les dernières années de nouvelles souches de populations. Un trait de cette réalité est palpable dans le secteur de l'alimentation. Commerces grecs, orientaux et halal s'y sont multipliés, parmi lesquels le très couru, par tous, Marché Adonis. Imaginez, deux succursales de cette épicerie ceinturent Saint-Laurent.

L'offre culturelle, très inégale entre les trois quartiers, se compose pour beaucoup d'art public, mais pas seulement. La présence de deux maisons de la culture et de quelques salles liées aux communautés linguistiques ou étudiantes fait en sorte que la population a accès à une grande variété de concerts et de spectacles.

Côte-des-Neiges, Notre-Dame-de-Grâce et Saint-Laurent

⇘ Combien de temps?

Pour l'ensemble du parcours: entre 5h et 6h

⇘ Segments

Côte-des-Neiges: 2h30

NDG: 40 min

NDG (avec l'escapade sur l'avenue de Monkland): 1h40

Saint-Laurent: 2h

⇘ Comment?

Parcours à pied, un bus et en métro

Option d'un aller-retour en bus (ligne 171 – boul. Henri-Bourassa)

Arts numériques: ★

 Art public: ★ ★ ★

Arts visuels: ★ ★ ★

Arts de la scène: ★ ★

 Design: ★ ★ ★

 Musique: ★ ★

1	Maison de la culture Côte-des-Neiges
	Cultiver l'imaginaire
2	Place du 6-décembre-1989
	Nef pour quatorze reines
3	Salle Claude-Champagne
4	Pavillon J.-A.-DeSève
5	*Parallélépipède*
6	*Topographie/Topologie*
7	Centre d'exposition de l'Université de Montréal
	Ventis et soupiraux, turbulences et essoufflements
8	Centre Segal
9	Maison de la culture Notre-Dame-de-Grâce
10	*Source*
11	*Notre-Dame-de-Grâce*
12	*Système*
13	*L'homo urbanus*
14	*La Bourrasque*
15	*Les Lieux communs*
16	*Temps présents*
17	*Miroirs*
18	*Parvis et portail # 22*
19	*Cailloudo*
20	Salle Émile-Legault
21	Musée des maîtres et artisans du Québec

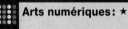

1. Toit vert sur le bâtiment de la Maison de la culture de Côte-des-Neiges, auquel est intégrée l'œuvre *Cultiver l'imaginaire* (2007) de Paryse Martin.
© Photo : Ève Côté
2. Le pavillon principal de l'Université de Montréal.
© Photo : Denis Farley
3. L'ardoise du Bistro Olivieri.
© Photo : Bistro Olivieri

1

Côte-des-Neiges
[art public, art actuel, librairies]

↘ *Rendez-vous à la station de métro Côte-des-Neiges et prenez la sortie ouest, qui débouche tout près du premier point d'intérêt.*

Intégrée au même bâtiment que la bibliothèque municipale, la **maison de la culture Côte-des-Neiges (1)** *(5290 ch. de la Côte-des-Neiges)* est un phare du quartier. Située presque au sommet de cette artère homonyme à l'inclinaison prononcée, elle s'offre comme un véritable repère. Géographique, d'abord, culturel, ensuite. La programmation, saison après saison, donne une bonne idée de ce qui se trame sur l'ensemble du territoire. Concerts, théâtre pour enfants, cinéma… Plus d'un art a sa place ici.

Dotée de deux salles d'exposition, trois si on compte le hall du rez-de-chaussée qui sert souvent à des projets de type documentaire, la maison de la culture Côte-des-Neiges fait partie du circuit montréalais d'art contemporain. Point de chute d'événements récurrents, qui vont du Mois de la Photo à Montréal au programme *En tournée* du Conseil des arts de Montréal, l'établissement est souvent aussi considéré pour la tenue de projets originaux. Que ce soit des expositions thématiques ou monographiques, voire à caractère historique, toutes les disciplines sont les bienvenues.

L'été, et peut-être même l'hiver, jetez un œil sur la superbe terrasse aménagée au dernier étage du bâtiment. On y accède du fond de la grande salle de la maison de la culture. L'endroit, qui a fonction de toit vert et, à l'occasion, d'aire d'exposition, a son petit trésor, ses petits trésors : trois nains de jardin. Il s'agit d'une œuvre permanente, ***Cultiver l'imaginaire*** (2007), de Paryse Martin, un bel exemple d'intégration à son environnement et d'ajout esthétique. Développement durable et poésie ludique riment plutôt bien ici.

↘ *En sortant de la maison de la culture, marchez dans le chemin de la Côte-des-Neiges vers le sud, dans la direction opposée à la station de métro. Au chemin Queen-Mary, tournez à gauche et rendez-vous à la place du 6-décembre-1989.*

En route vers le chemin Queen-Mary, vous passerez devant deux rivales du commerce du livre, deux institutions montréalaises nées dans le quartier. Et la **Librairie Olivieri** *(5219 ch. de la Côte-des-Neiges)* et **Renaud-Bray** *(5252 ch. de la Côte-des-Neiges)* se font presque face. La première est un chef de file de la littérature et des publications savantes. On tient souvent ici des discussions publiques avec auteurs prestigieux. Un bistro à la fois chic et décontracté se trouve dans l'arrière-boutique. L'été, sa terrasse ombragée est des plus rafraîchissantes. La seconde est aujourd'hui un empire, qui ne vend plus que du livre, mais aussi des CD, DVD, jeux, objets décoratifs…. La succursale de Côte-des-Neiges fut la première à arborer ce jaune si distinctif de la maison.

Notez également la pharmacie située à l'angle du chemin Queen-Mary. Elle occupe un bâtiment en pierre, jadis célèbre pour avoir abrité un musée de cire. La façade d'origine, sur le chemin Queen-Mary, a été préservée. On peut encore observer ses multiples détails : les lettres de son appellation officielle, « Musée historique canadien », insérées dans la pierre même; l'entrée en demi-cercle, ornée de motifs floraux; les personnages religieux flanqués aux extrémités – on est quand même au pied de l'Oratoire Saint-Joseph.

La **place du 6-décembre-1989 (2 ⬛)** *(entre le chemin Queen-Mary et l'avenue Troie, et entre les avenues Gatineau et Decelles)*, petit espace vert doté d'une allée centrale, commémore un triste événement survenu à l'école Polytechnique, située tout près de là sur le terrain de l'Université de Montréal. La mort de 14 femmes, tuées par un tireur misogyne, a autant troublé la communauté universitaire que choqué le Québec. Le combat pour un contrôle des armes à feu plus restrictif tire son origine de cela. La place du 6-décembre-1989 a été baptisée ainsi depuis qu'elle accueille une œuvre d'art.

Nef pour quatorze reines (1999), de Rose-Marie Goulet, se distingue par sa sobriété et par son horizontalité, qui la fait presque se confondre au paysage. Quatorze petites buttes portent le nom des victimes du 6 décembre 1989, mais les lettres, inscrites dans l'alternance du vide et du plein, imposent du temps pour être lues et même reconnues. Une manière très élégante d'appeler à la mémoire et au recueillement, d'intégrer cette sale histoire dans l'attitude de chacun d'entre nous. Bref, l'œuvre, qui s'étale sur tout le site, n'est pas qu'un simple monument commémoratif.

L'Université de Montréal
[parc de sculptures, architecture, belvédère]

Le quartier Côte-des-Neiges est celui de l'Université de Montréal (UdeM), bien qu'elle loge, en partie, dans l'arrondissement adjacent, Outremont. Son vaste campus, étalé sur plusieurs kilomètres, ses nombreux pavillons (près de 40), certains historiques, d'autres récents, et l'imposante population qu'il draine (étudiants, enseignants et autres employés) font de l'établissement universitaire quelque chose de plus qu'un phare. Il est un moteur économique, une âme identitaire.

Le pavillon principal de l'UdeM, chef-d'œuvre architectural signé Ernest Cormier, reconnaissable à sa tour, emblème et point rassembleur du quartier, plus encore que l'Oratoire Saint-Joseph voisin, lieu de culte et de tourisme avant tout.

L'empreinte de l'UdeM est aussi culturelle, artistique même. À l'extrémité est du campus, tout en haut d'une belle côte, le pavillon de la Faculté de musique possède sa salle, la prestigieuse **Claude-Champagne (3 🎵)** *(220 av. Vincent-d'Indy)*, chérie pour son acoustique par tous les mélomanes. Quelque 150 concerts par année y sont présentés, dont ceux des Violons du Roy et de l'Ensemble Arion.

La population étudiante et la population avoisinante sont des clientèles cibles du vaste programme d'ateliers du Service des activités culturelles, logé au **pavillon J.-A.-DeSève (4 ◉)** *(2332 boul. Édouard-Montpetit)*. Cependant, c'est une de ses activités de diffusion, Ciné-Campus, qui est sa plus connue. Le cinéma d'auteur est ici privilégié.

L'université possède par ailleurs une vaste collection d'art public, disséminée à travers tout son territoire. En 2010, sous l'initiative de l'ancienne directrice du Centre d'exposition de l'UdeM, Andrée Lemieux, un projet de baladodiffusion a été mis en place. Composé de six parcours, *Art pour tous (www.artpourtous. umontreal.ca)* est une exposition à ciel ouvert autant qu'une visite à l'intérieur de certains pavillons. Une quarantaine d'œuvres, réparties dans ou autour d'une vingtaine de bâtiments, sont ciblées et expliquées.

❯ *De la place du 6-décembre-1989, traversez l'avenue Decelles et dirigez-vous vers le chemin de la Tour, à l'intérieur du campus de l'UdeM.*

Le chemin devant vous monte au sommet de l'université. C'est une pente par bouts assez abrupte, raison pour laquelle elle fait partie du Grand Prix cycliste de Montréal, une course professionnelle tenue en septembre. En haut, la vue est magnifique, et elle est notamment rehaussée par la sculpture *Parallélépipède* **(5 ◣)** (2004), d'Yves Gendreau. Située devant le pavillon J.-Armand-Bombardier, dédié aux nanotechnologies, à l'aérospatiale et à d'autres sciences poussées, l'œuvre balance dans les airs ses formes élancées et légères en écho à ce qui bouillonne à l'intérieur de l'édifice. Le jaune et noir des tubes et la complexité de ses lignes font de *Parallélépipède* une proposition riche et séduisante, à voir sous tous les angles.

À partir de là, vous pourriez décider de suivre les parcours de l'*Art pour tous*. Vous y découvrirez des œuvres de figures historiques de l'art québécois, comme Jacques de Tonnancour, Marcel Barbeau ou Pierre Granche. Ce dernier, décédé en 1997, avait une conception très fine de l'art public et considérait ses œuvres comme des pièces environnementales. Parmi elles, figure *Topographie/Topologie* **(6 ◣)** (1980), placée devant le CEPSUM *(2100 boul. Édouard-Montpetit)*, le centre sportif situé près du pavillon de musique.

❯ *À partir du pavillon J.-Armand-Bombardier, descendez le chemin de la Rampe jusqu'au boulevard Édouard-Montpetit. Traversez-le et continuez sur l'avenue Louis-Colin jusqu'au bout, où se dressent l'École des hautes études commerciales et la Faculté de l'aménagement.*

Situé à l'intérieur du pavillon de la Faculté de l'aménagement, le **Centre d'exposition de l'Université de Montréal (7 ◉)** *(2940 ch. de la Côte-Sainte-Catherine, local 0056)* touche, par sa programmation, à une variété de domaines, qui incluent les sciences humaines, les arts et les sciences. Certes, son emplacement l'amène à aborder souvent des thèmes reliés à l'architecture, à l'urbanisme et au design. Des expos en art contemporain ou de périodes précédentes font régulièrement partie, aussi, de son calendrier, qu'elles soient de son cru ou proviennent de l'extérieur. Le Musée national des beaux-arts du Québec et le Musée régional de Rimouski ont, par exemple, déjà fait atterrir ici certains de leurs projets.

Une autre œuvre de Pierre Granche, *Ventis et soupiraux, turbulences et essoufflements* (1993), dont l'élément principal prend la forme d'un cylindre, se trouve à l'intérieur de ce même pavillon, dans les environs immédiats du Centre d'exposition.

❯ *Le prochain point d'intérêt se trouve à plus de 2 km. La ligne d'autobus 129, direction ouest, vous y mène directement. Descendez à l'avenue Westbury.*

Il n'y a pas si longtemps, à l'époque où il portait le nom de Saidye Bronfman, on accourait au **Centre Segal (8 ▣)** *(5170 ch. de la Côte-Sainte-Catherine)* pour voir des expositions parmi les meilleures que Montréal pouvait offrir en art contemporain. Le détour dans ce quartier excentré valait alors la peine. Or, depuis 2007, ce lieu associé à la communauté juive a cessé ses

1

activités en arts visuels et fermé sa galerie ainsi que son école des beaux-arts.

Rebaptisé en 2008, le Centre Segal se concentre depuis dans la diffusion des arts de la scène. Il est doté de deux salles, dont la plus petite est un espace modulable. Théâtre en anglais et en yiddish, concerts de jazz et de musique classique, artistes de la chanson ou spectacles de danse contemporaine, et même une programmation de cinéma indépendant... L'originalité et la qualité de l'offre ont permis à l'endroit de conserver son attrait.

↘ *Par autobus, ou à pied, revenez un peu vers l'est, à la station de métro Côte-Sainte-Catherine, à l'angle de la rue Victoria. Prenez le métro et rendez-vous à la station Villa-Maria. Une fois dehors, marchez sur le boulevard Décarie vers le sud. À l'avenue Notre-Dame-de-Grâce, tournez à droite. Rendez-vous à la rue Botrel, juste sur le bord de l'autoroute Décarie, et marchez jusqu'au prochain coin.*

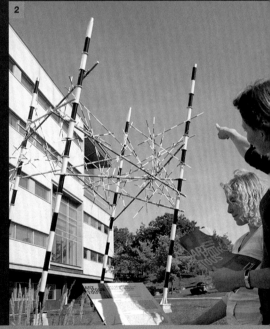

2

1. Centre Segal : *Sinha Danse* / programme de résidences pour chorégraphes Centre Segal & Danse Danse. Danseurs : Katia Lacelle, François Richard, Tanya Crowder, Tom Casey. © *Photo : George Allister*
2. Exposition *Art pour tous* – Yves Gendreau, *Parallélépipède*, 2004, Collection d'œuvres d'art de l'Université de Montréal. © *Photo : Productions Train d'enfer*

NDG

[diversité culturelle, architecture, art public]

Intégrée à la bibliothèque comme la plupart de ses semblables, la **maison de la culture Notre-Dame-de-Grâce (9 👁)** *(3755 rue Botrel)* a un trait distinctif, pas unique, mais pas très fréquent non plus. Le bâtiment qui l'abrite est une caserne de pompiers. Or, pour une rare fois, elle est encore fonctionnelle. Voilà non pas un cas de recyclage architectural, mais de cohabitation plutôt singulier.

Si la station Villa-Maria est la porte d'entrée du quartier, l'édifice de la rue Botrel est son antenne culturelle. Il faut dire que la grande partie de Notre-Dame-de-Grâce se trouve au-delà de l'autoroute urbaine. C'est de l'autre côté que se déroule l'action, notamment sur l'avenue de Monkland, bien garnie en commerces et en quelques adresses cotées comme **La Taverne** *(5555 av. de Monkland)*, un resto de quartier «avec un zeste de sophistication».

Or, en activités culturelles, NDG est plutôt tranquille. La maison de la culture est non seulement son antenne, elle est son seul véritable lieu, forte de sa salle de spectacle et de ses trois étages (!) dédiés à des expositions. Longtemps tenue à l'écart, elle s'est depuis peu dotée d'une programmation en arts visuels digne des meilleures du réseau Accès Montréal. Son calendrier est désormais à surveiller, et des centres d'artistes ou des manifestations comme Le Mois de la Photo à Montréal n'hésitent plus à s'associer avec elle.

Le quartier possède par ailleurs quelques œuvres dans ses espaces publics, dont la plus intéressante, et la plus récente, se trouve néanmoins un peu en retrait. ***Source* (10 🏛)** *(2010)*, de Patrick Coutu, est une sculpture en bronze aux grandes pattes et à la texture usée qui s'inspire des phénomènes naturels et des processus de transformation. Elle a été placée devant l'entrée du **Centre sportif Notre-Dame-de-Grâce** *(6445 av. de Monkland)*, à près de 2 km de la maison de la culture, soit presque une demi-heure de marche. Tant qu'à vous

être aventuré aussi loin, il serait bête de ne pas faire un petit détour deux rues plus au sud, à l'angle de Sherbrooke et Madison, pour jeter un œil à l'exceptionnelle murale Art nouveau ***Notre-Dame-de-Grâce* (11 🏛)** *(2011)*. L'esprit du quartier y est représenté sous la forme d'une déesse rayonnante entourée de scènes urbaines locales et d'icônes de la nature (fruits, fleurs, oiseaux) faisant écho à l'état sauvage dans laquelle ce secteur se trouvait dans un passé maintenant lointain. L'œuvre a été réalisée dans le cadre d'un marathon de 16 jours piloté par le collectif A'Shop.

NDG compte se doter éventuellement d'un «circuit» d'art public, qu'on espère bâtir entre ce point et le parc Notre-Dame-de-Grâce, rue Sherbrooke près de l'autoroute Décarie. Devant ce parc se trouve également l'ancien **Théâtre Empress** *(5560 rue Sherbrooke O.)*, un magnifique bâtiment historique de style néo-égyptien dont la revitalisation est en voie d'être relancée.

Saint-Laurent

[art public, architecture,

interventions nocturnes]

➥ *Revenez à la station de métro Villa-Maria. Pour vous rendre à Saint-Laurent, dernier quartier de ce parcours, vous devrez aller jusqu'au bout de la ligne orange, à la station Côte-Vertu. Sortez du côté nord du boulevard de la Côte-Vertu.*

Notez quand même qu'à la station Namur, vous auriez intérêt à humer l'air du dehors. Cette station abrite d'ailleurs une impressionnante œuvre d'art public signée Pierre Granche, exemple par excellence d'intégration de l'art et de l'architecture. Intitulée **Système (12 🚇)** (1979-82), cette étonnante structure spatiale et sculpturale se présente comme un gigantesque nuage de formes polyédriques illuminées qui se déploie horizontalement entre ciel et terre au centre du grand volume. À l'extérieur, dans cet environnement de béton et de bruit – on frôle encore l'autoroute Décarie –, se démarque une immense sphère orange. Véritable icône du Montréal motorisé et du *fast-food*, cette singulière architecture de 1945 abrite un restaurant, l'**Orange Julep** *(7700 boul. Décarie)*, dernier exemple de cette entreprise locale née dans l'entre-deux-guerres. Si l'idée d'un jus d'orange vous plaît... c'est la spécialité de la maison.

Les attrait culturels de l'arrondissement Saint-Laurent, autrefois «ville», ne sont pas tellement plus nombreux qu'à NDG. En fait, le quartier possède son musée et son patrimoine religieux, dont certaines églises sont souvent investies comme salles de concerts. Le calendrier culturel, ponctué d'expositions, de théâtre et de musique surtout, s'abreuve dans l'offre hors de son territoire. Pour les orchestres et autres compagnies artistiques, Saint-Laurent est un point de chute supplémentaire.

Les traits distinctifs de Saint-Laurent, au niveau de la créativité, s'expriment davantage, beaucoup, en termes d'art public. La collection de sculptures essentiellement, occupe un vaste territoire; on ne signalera que celles installées dans les environs immédiats de la station Côte-Vertu. Et même à

1. Murale *Notre-Dame-de-Grâce*, réalisée par les artistes du collectif A'shop.
   © Photo: Kris Murray
2. Orange Julep. © Photo: Ronald Santerre

l'intérieur: **L'homo urbanus (13 🚇)** (2005), d'Éric Lamontagne, est à découvrir dans l'édicule nord, près de la sortie menant au terminus d'autobus.

À noter cependant que la grande nouveauté, une murale qui découle du programme du 1% – la politique gouvernementale en matière d'intégration d'art à l'architecture – se trouvera sous peu à une demi-heure de marche au nord-ouest de la station de métro. **La Bourrasque (14 🚇)**, de Gwenaël Bélanger, sera inaugurée en 2013 au même moment que la nouvelle **Bibliothèque du Boisé** *(2727 boul. Thimens)*, pour laquelle elle aura été réalisée. L'œuvre, qui s'inspirera du foisonnement qui anime un tel lieu, occupera à la fois l'intérieur et l'extérieur du bâtiment.

➥ *À partir de la station de métro, marchez sur le boulevard de la Côte-Vertu vers l'est jusqu'à l'avenue Sainte-Croix. Tournez à gauche et marchez vers le nord sur une distance équivalente à 100 m. Un sentier anonyme et anodin sépare le CLSC du bâtiment voisin, plus imposant, le Centre d'hébergement de Saint-Laurent – un ancien hôpital. Empruntez le sentier.*

Les Lieux communs

[art public, emplacement secret, rencontre]

Il n'y a pas grand monde qui le sait, mais le quartier possède son «Michel Goulet», la référence au Québec lorsqu'on parle d'art public. Personne ne le sait, parce que la sculpture extérieure vit à l'ombre des regards depuis plus de 20 ans. Créée pour le **CLSC Saint-Laurent** *(1055 av. Sainte-Croix)*, **Les Lieux communs (15)** (1990) a d'abord été exposée au Central Park de New York, où le thème de la rencontre fortuite entre inconnus résonnait encore plus fort.

Au CLSC, l'œuvre se trouve loin de la rue, entre ces deux bâtiments, et même derrière une annexe, un quai de livraison érigé après son installation. Son environnement a pris la forme d'une petite cour intérieure, connue seulement par quelques *happy few*. Soyez indulgent si vous passez par ici en saison de neige abondante : *Les Lieux communs*, qui se compose d'une douzaine de chaises en acier disposées en cercle – et d'autant d'objets métaphoriques –, peut facilement disparaître sous le manteau blanc.

Cette installation occupe une place importante dans l'œuvre de Goulet, non seulement parce qu'elle a été vue et appréciée à New York, mais aussi parce qu'elle est l'une des premières à inscrire sur la place publique le motif de la chaise si cher à l'artiste; la première, en tout cas, à le faire de manière aussi faste. *Les Lieux communs* précède même *Les Leçons singulières* (1990), sa célèbre installation en deux volets située dans le Plateau-Mont-Royal. Depuis, les chaises n'ont cessé de se multiplier à Montréal et ailleurs.

Depuis 2010, Saint-Laurent possède même une deuxième pièce signée Michel Goulet, pas tellement loin au nord du CLSC, rue Tassé, dans une école primaire publique. Ces dernières années, la commission scolaire Marguerite-Bourgeoys s'est en effet beaucoup enrichie en art public; les récents agrandissements de ses écoles lui imposent d'appliquer la loi du 1%. Dans la même rue, deux d'entre elles sont dotées de leurs œuvres, signées par deux artistes phares de leur époque : **Temps présents (16)** (2010), de Goulet donc, à l'**école Édouard-Laurin** *(1085 rue Tassé)*, et **Miroirs (17**

) (2011), de Nicolas Baier, à l'**école Jean-Grou** *(805 rue Tassé)*.

> ↘ À partir du CLSC, marchez vers le sud et traversez le boulevard de la Côte-Vertu. Vous vous retrouverez aux portes du Vieux-Saint-Laurent.

Parvis et portail # 22 (18) (2000), d'Yves Trudeau, a été conçue pour marquer l'avènement du nouveau millénaire et rappeler le passé rural de l'ancienne ville de Saint-Laurent. Ses formes géométriques et monumentales, massives même, coïncident mal avec l'esthétique de la sculpture publique d'aujourd'hui. Mais là, sur son îlot à elle, qu'elle partage avec un arrêt d'autobus, elle joue bien le rôle d'entrée du Vieux-Saint-Laurent. L'avenue Sainte-Croix, qui se prolonge vers le sud, est un axe important de ce secteur historique du quartier.

> ↘ Marchez sur l'avenue Sainte-Croix jusqu'à la rue du Collège.

L'avenue Sainte-Croix pourrait être considérée comme celle des cégeps : le **Vanier College** *(821 av. Sainte-Croix)* et le **cégep de Saint-Laurent** *(625 av. Sainte-Croix)* en occupent tout le côté est, excepté les territoires de l'église et du cimetière intercalés entre les établissements d'enseignement. Les deux ont été intégrés à un environnement architectural majestueux, hérité de l'époque où les communautés religieuses avaient la responsabilité de l'éducation. Le premier, un établissement anglophone, loge dans le pensionnat pour jeunes filles que dirigeaient les Sœurs de Sainte-Croix. Le second, francophone, s'étend sur celui que géraient les Pères de la même congrégation. Cette enfilade de constructions, pour la plupart en pierre et érigées entre la fin du XIXe siècle et le début du XXe siècle, comprend un bâtiment d'inspiration néogothique aux airs de château avec ses deux tours octogonales.

Ce vaste site patrimonial de grande richesse s'apprécie même le soir, grâce à une mise en lumière fort appropriée. Et même créative : le bâtiment central du cégep Vanier, remarquable

1. Musée des maîtres et artisans du Québec :
   Louis Jobin / *Tobie et l'ange* (détail), vers 1925,
   bois, peinture. © *Photo : Joe Donohue*
2. Musée des maîtres et artisans du Québec :
   bouteille, Verrerie La Mailloche, vers 1990,
   verre. © *Photo : Joe Donohue*

par son toit à deux versants, très prononcés, qui lui donnent un visage triangulaire, est animé d'un éclairage monochrome qui change selon une cadence régulière, sans rupture.

Dès l'été 2013, l'**église de Saint-Laurent** *(805 av. Sainte-Croix)* bénéficiera, elle aussi, d'un programme nocturne qui met en valeur sa façade, déjà notable par les deux tours-clochers qui l'encadrent. Visible tous les jours, de la mi-juin à la mi-septembre, la vidéoprojection est issue d'un concours d'envergure nationale lancé dans le cadre de «Saint-Laurent en mouvement», vaste plan visant à attirer les regards. Cet arrondissement du nord de la ville pourra donc rivaliser avec le Parcours lumière du centre-ville concocté par le très médiatisé Quartier des spectacles.

Avant d'atteindre l'autre cégep, notez la rue de l'Église, autour de laquelle résident quelques beaux exemples de maisons patrimoniales. C'est aussi sur cette artère que l'on retrouve la «vieille» bibliothèque, toujours en fonction, devant laquelle repose un autre cas d'art public. La sculpture-fontaine *Cailloudo* **(19 🎨)** *(1990)*, de Charles Daudelin, est issue de l'événement «Sculpture: séduction 1990» qui avait rassemblé plusieurs municipalités de l'île de Montréal. La collection d'œuvres publiques de l'ancienne ville de Saint-Laurent a pris essor en grande partie lors de cette

manifestation, dont il reste cinq exemples sur tout son territoire.

La **salle Émile-Legault (20 🎵)** *(613 av. Sainte-Croix)* et le **Musée des maîtres et artisans du Québec (21 👁)** *(615 av. Sainte-Croix)* se trouvent sur le campus du cégep de Saint-Laurent. Les deux institutions, dont la renommée dépasse le cadre institutionnel, se partagent en fait l'ancienne église St. Andrew and St. Paul que les Pères de Sainte-Croix, dans les années 1930, ont déménagée pierre par pierre du centre-ville de Montréal, où elle était vouée à la destruction. La salle de concerts, appréciée pour son acoustique, occupe ce qui était le soubassement de la chapelle et a une longue histoire qui fait sa réputation. Le musée, fondé seulement dans les années 1970, est aménagé dans la nef centrale. L'actuel design, mis en place en 2002, maximise la lumière et le décor patrimonial, notamment les vitraux de l'enceinte.

↘ *Le parcours prend fin ici. Pour retourner au métro, empruntez la rue du Collège. La station du Collège se trouve à 3 min de marche, à l'angle du boulevard Décarie, qui est, en fait, l'artère commerciale du Vieux-Saint-Laurent. Pour vous sucrer le bec, optez pour la pâtisserie italienne **Dolci Piu** (849 boul. Décarie); pour vous épicer les babines, testez le resto maghrébin **Au Vieux Saint-Laurent Hallal** (854 boul. Décarie).*

Carnet d'adresses créatif

Arts visuels

Centre d'exposition de l'Université de Montréal
mar-mer et dim 12h à 18h; 2940 ch. de la Côte-Sainte-Catherine, local 0056, 514-343-6111, poste 4694, www.expo.umontreal.ca

Maison de la culture Côte-des-Neiges
mar-mer 13h à 19h, jeu-ven 13h à 18h, sam-dim 13h à 17h; 5290 ch. de la Côte-des-Neiges, 514-872-6889, www.accesculture.com

Maison de la culture Notre-Dame-de-Grâce
mar-mer 13h à 19h, jeu-ven 13h à 18h, sam-dim 13h à 17h; 3755 rue Botrel, 514-872-2157, www.accesculture.com

Musée des maîtres et artisans du Québec
mer-dim 12h à 17h; 615 av. Sainte-Croix, 514-747-7367, www.mmaq.qc.ca

Arts de la scène

Centre Segal
5170 ch. de la Côte-Sainte-Catherine, 514-739-7944, www.segalcentre.org

Musique

Salle Claude-Champagne
220 av. Vincent-d'Indy, 514-343-6427, www.musique.umontreal.ca

Salle Émile-Legault
613 av. Sainte-Croix, 514-747-2727, www.cegep-st-laurent.qc.ca/emile-legault

Bars, cafés, commerces

Boucherie Atlantique, 5060 ch. de la Côte-des-Neiges, Côte-des-Neiges

La Boucherie de Paris, 5216 av. Gatineau, Côte-des-Neiges

Cycles St-Laurent, magasin de vélos, 1344 rue du Collège, Saint-Laurent

Dolci Piu, pâtisserie, 849 boul. Décarie, Saint-Laurent

Duc de Lorraine, pâtisserie, 5002 ch. de la Côte-des-Neiges, Côte-des-Neiges

Kalimera, restaurant, 5188 av. Gatineau, Côte-des-Neiges

La Maisonnée, resto-bar, 5385 av. Gatineau, Côte-des-Neiges

Marché Adonis, 3100 boul. Thimens, Saint-Laurent

Olivieri, librairie et bistro, 5219 ch. de la Côte-des-Neiges, Côte-des-Neiges

Orange Julep, restaurant, 7700 boul. Décarie, NDG

Pizzafiore, pizzeria, 3518 av. Lacombe, Côte-des-Neiges

Renaud-Bray, librairie-boutique, 5252 ch. de la Côte-des-Neiges, Côte-des-Neiges

Restaurant Blanche-Neige, 5735 ch. de la Côte-des-Neiges, Côte-des-Neiges

La Taverne, restaurant, 5555 av. de Monkland, NDG

Au Vieux Saint-Laurent Hallal, restaurant, 854 boul. Décarie, Saint-Laurent

PETITE-PATRIE, ROSEMONT, SAINT-MICHEL, VILLERAY

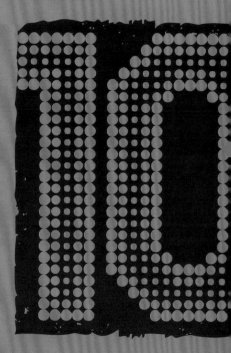

Hautes voltiges
La Tohu et l'École nationale de cirque avec une œuvre de Pierre Fournier.
© *Denis Farley*

onction de deux arrondissements de Montréal, le secteur survolé dans ce parcours réunit plusieurs quartiers, de la Petite-Patrie et sa Plaza Saint-Hubert à Saint-Michel et sa Cité des arts du cirque. Entre ces deux extrémités, l'une au sud-ouest et l'autre au nord-est, vous traverserez une diversité d'environnements. Ce territoire, essentiellement francophone, est animé par différentes communautés. Ne vous étonnez pas si vos oreilles captent, au hasard de la déambulation, des mots d'italien, d'espagnol ou de créole.

Rues commerciales ou résidentielles, parcs et grands espaces, zones scolaires, réseaux routiers, un site d'enfouissement, un autre en chantier, des coins bondés de monde, d'autres isolés... La variété se fera aussi sentir au niveau de

l'offre culturelle. Ici, aucun art ne se fait dominant, et les quelques lieux phares qui guident le circuit représentent différents milieux. La galerie Art Mûr est une des leaders de l'art contemporain québécois; le Cinéma Beaubien, une rareté pour les cinéphiles en quête de films d'auteurs; la TOHU, le poumon de la diffusion des arts du cirque.

Prenez cependant note que l'étendue du parcours, parfois, impose une bonne distance entre deux points d'intérêt. Si la marche reste le meilleur moyen de humer chaque quartier, il sera à l'occasion conseillé de prendre l'autobus ou le métro. Ou le vélo alors : les postes de Bixi ne manqueront pas de vous héler à votre passage.

Petite-Patrie, Rosemont, Saint-Michel, Villeray

↘ **Combien de temps?**

Pour l'ensemble du parcours : 5h

↘ **Segments**

Rosemont et la Petite-Patrie : 2h

Saint-Michel : 1h30

Villeray : 1h

↘ **Comment?**

Parcours à pied

Arts numériques : —

Art public : ★★

Arts visuels : ★★★

 Arts de la scène : ★★★★

 Design : ★

Musique : ★★

1	Centre des textiles contemporains de Montréal	6	Maison de la culture Rosemont–La Petite-Patrie	12	TOHU
2	Art Mûr	7	Cinéma Beaubien	13	*Bouillon de culture*
3	Le repaire des 100 talents	8	*Temps d'arrêt*	14	Aux Écuries
4	Le Petit Medley	9	*Le Mélomane*	15	Espace La Risée
5	Théâtre Plaza	10	Cirque du Soleil	16	Patro le Prévost
		11	École nationale de cirque		*Ensemble*
					Isocèle

Rosemont
et la Petite-Patrie

[art actuel, spectacles, cinéma]

↘ Le parcours débute à la sortie de la station de métro Rosemont.

La station de métro se trouve à l'ombre d'un immeuble, en soi plutôt anodin. Situé de l'autre côté de la rue Saint-Denis, dans un *no-man's land* aux confins de la voie ferrée, le bâtiment se distingue néanmoins par l'originalité de sa signalétique : un monochrome bleu géant, posé directement sur une partie des fenêtres de sa façade. Voilà l'astuce de la société propriétaire, qui s'est servie de son logo pour rompre avec le gris d'ennui habituel à ce type de mastodonte. Baptisé «Place de la mode» à l'époque où il était occupé par des manufactures, le 5800 est aujourd'hui une tour de bureaux qui brille de son bleu, jour et nuit.

C'est dans cet édifice qu'a décidé de se poser le **Centre des textiles contemporains de Montréal (1 ⊡)** *(5800 rue Saint-Denis, espace 501)*. Ni anachronique ni nostalgique, cette école-atelier a les yeux tournés vers l'avenir, elle qui forme son lot de créateurs. Tissage, tricot, foulage, feutrage, tressage… Toutes les techniques textiles, des plus anciennes aux plus novatrices, y sont enseignées. Le public, lui, est convié à s'y rendre lors d'expositions ou d'événements de médiation culturelle, telles les **Journées de la culture (septembre)** ou les **Portes Ouvertes Design Montréal** *(mai)*. À noter que plus d'un équipement est disponible en location, comme des machines à tricoter, des métiers à tisser ou des tables de coupe.

↘ Sur le boulevard Rosemont, marchez vers l'est jusqu'à la rue Saint-Hubert.

La **bibliothèque Marc-Favreau** *(700 boul. Rosemont)*, nommée ainsi à la mémoire du grand monologuiste qui personnifia le très mimique et langagier Sol, ouvrira au cours de l'année 2013. Érigée sur l'ancien site des ateliers municipaux et intégrant une partie du dernier bâtiment existant, cette nouvelle antenne de culture portera la signature de l'architecte Dan S. Hanganu, un des grands de sa profession à Montréal – le Théâtre du Nouveau Monde, l'école des HEC et le musée Pointe-à-Callière sont parmi ses réalisations. La bibliothèque accueillera aussi la première œuvre publique du Montréalais Adad Hannah, vidéaste réputé et apprécié pour ses tableaux vivants.

↘ Rue Saint-Hubert, tournez à gauche.

1

1. La sculpture *Temps d'arrêt* de Jean-Pierre Morin.
   © Photo : Guy L'Heureux
2. Art Mûr : Shayne Dark / *Tangle Wood*, 23 août au 27
   septembre 2008. © Photo : Guy L'Heureux

Art Mûr

[galerie privée, art actuel, artistes émergents]

La galerie **Art Mûr (2 👁)** *(5826 rue Saint-Hubert)* est une des plus inusitées de Montréal. Inusitée, à en rendre jaloux : ses 1 300 m , divisés en trois étages et en de multiples salles d'exposition, ouvrent des perspectives plus qu'intéressantes. Incontournable, pilier du renouveau de l'Association des galeries d'art contemporain, l'établissement de la rue Saint-Hubert a pourtant longtemps cultivé la marginalité.

Art Mûr est née en tant qu'entreprise d'encadreurs – le premier métier de ses propriétaires, Rhéal Olivier Lanthier et François St-Jacques. Portée par la passion, mais nichée dans un local perdu de Saint-Henri, la galerie s'est fait remarquer sous le coup d'expositions thématiques bien senties. Son déménagement dans le quartier de la Petite-Patrie, toujours en marge des centres habituels à l'art, l'a néanmoins confirmée comme une adresse à retenir.

Forte désormais d'une trentaine d'artistes, imposante en dimensions, Art Mûr a préservé ses manières distinctes, inhabituelles. Rassembleuse et généreuse, elle est une des rares à pouvoir prétendre exposer l'art canadien, *coast to coast*. Son exposition *Peinture fraîche et nouvelle construction*, consacrée aux peintres et aux sculpteurs de la relève, est devenue un rendez-vous annuel, d'été, qui met à contribution les universités canadiennes, de l'Emily Carr University of Art + Design de Vancouver au Nova Scotia College of Art & Design d'Halifax.

Et si vous cherchez à encadrer une œuvre, vous pouvez encore vous fier à Art Mûr : l'atelier est toujours là, à la base de son succès.

Presque en face d'Art Mûr, **Le repaire des 100 talents (3 👁)** *(5867 rue Saint-Hubert)* est une des plus récentes nouveautés du quartier. Cette galerie peu conventionnelle, ouverte en 2012, roule au rythme d'une expo par mois et aborde la création sous tous les thèmes et disciplines.

↘ *Poursuivez dans la rue Saint-Hubert vers le nord jusqu'à la rue Beaubien.*

La **Plaza Saint-Hubert** *(de la rue Bellechasse à la rue Jean-Talon)* n'est pas seulement une artère qui regorge de petits commerces de quartier. Elle est une curiosité urbaine, ne serait-ce que par les toits translucides qui couvrent ses trottoirs. Horreur architecturale pour certains, sympathique abri pour d'autres, elle est, il faut le dire, unique.

Si elle a parfois mauvaise réputation, la Plaza a aussi ses attraits. Aux yeux du photographe en tout cas : **Lozeau** *(6229 rue Saint-Hubert),* boutique et labo, qui offre même des ateliers, est une référence dans le domaine de la photo. En face, la microbrasserie **Le Petit Medley (4 🍺)** *(6206 rue Saint-Hubert)* possède, à l'étage, sa salle de spectacle et sa piste de danse. C'est un *bar-lounge* apprécié aussi des amateurs de foot, ceux de la diaspora française du moins, qui en ont fait un de leurs quartiers. Les littéraires, eux, peuvent compter sur la librairie **Raffin** *(6330 rue Saint-Hubert),* pour trouver le meilleur dans le domaine du livre.

Témoin privilégié du Montréal des années folles, construit en 1922, le **Théâtre Plaza (5 🍺🎭)** *(6505 rue Saint-Hubert)* a d'abord fait office de salle de théâtre et de cinéma. Puis, comme plusieurs autres cinémas de quartier, il a connu un lent déclin, jusqu'à sa fermeture dans les années 1980. En 2003, un duo d'entrepreneurs montréalais a rouvert le lieu, pour en faire une salle de spectacle multidisciplinaire ancrée, par son décor intérieur d'origine, dans une autre époque. Aujourd'hui, on se rend au Théâtre Plaza pour assister autant à un concert rock alternatif qu'à un enregistrement d'émission télé, à un défilé de mode, à une soirée de projection de courts métrages ou à un spectacle-cabaret.

Vous pourriez vous rendre jusqu'à la rue Saint-Zotique, qui ne manque pas de lieux où casser la croûte, notamment, à l'ouest de la Plaza Saint-Hubert, avec le scandinave **Cafe Ellefsen** *(414 rue Saint-Zotique E.)* et, à l'est, avec l'italien **Caffè Mille Gusti** *(1038 rue Saint-Zotique E.).* Ambiance décontractée au premier, très amicale dans le second, où le patron vous accueille avec ses *Bello! Bella!* bien sentis.

↘ *Le prochain point d'intérêt se trouve à 1,5 km de la Plaza, près de la rue D'Iberville. L'autobus peut s'avérer utile. Rue Beaubien, prenez la ligne 18, direction est. Descendez à l'arrêt de l'avenue De Lorimier.*

La rue Beaubien possède plusieurs commerces intéressants, notamment ici, à l'angle de l'avenue De Lorimier, situation qu'exploite la charcuterie **Les Fromages de Choix** *(2101 rue Beaubien E.),* dont la porte se trouve exactement au coin nord-est. L'endroit, qui fait aussi boulangerie et fromagerie, offre une grande variété de produits fins et d'autres faits maison. Il est pourtant si petit. Une véritable caverne d'Ali Baba, espresso à déguster debout en sus.

Notez que sur l'avenue De Lorimier, à une rue au nord, vous retrouverez dans la **maison de la culture Rosemont–La Petite-Patrie (6 ⚫)** *(6707 av. De Lorimier)* un autre exemple de cohabitation. L'établissement culturel partage bien sûr ses locaux avec la bibliothèque, mais aussi avec un poste de pompiers encore actif, un cas plutôt rare en ville, mais pas unique. L'édifice, bâti en 1931, a la prestance de l'architecture patrimoniale.

↘ *Marchez vers l'est dans la rue Beaubien.*

Vous croiserez, à l'angle de la rue Louis-Hémon, l'ancienne taverne **Chez Roger** *(2316 rue Beaubien E.),* devenue bar couru et, une rue plus loin, la boulangerie **De Froment et De Sève** *(2355 rue Beaubien E.).* Avec ses airs parisiens, surtout par sa terrasse tournée vers la rue, ce commerce, qui est aussi pâtisserie et fromagerie, demeure un lieu couru et apprécié, malgré le service inégal. Un autre de ses airs de Paris?

Petite-Patrie, Rosemont, Saint-Michel, Villeray

Cinéma Beaubien. © Photo : Denis Farley

Cinéma Beaubien

[cinéma de quartier, films d'auteurs, prix raisonnables]

Le **Cinéma Beaubien (7 👁)** *(2396 rue Beaubien E.)* est le dernier cinéma de quartier, un des derniers, du moins, à entretenir une image surannée du septième art, mise à mal par les complexes où le plus gros, le plus spectaculaire, le plus « tout », est la norme. Avec sa marquise digne de l'époque qui l'a vu naître en 1937, sans surface de stationnement lui tenant d'annexe, le Beaubien est un lieu bien à part.

Dotée de cinq salles, cette entreprise d'économie sociale défend le cinéma d'auteur, autant que possible, autant que l'industrie accepte d'en distribuer. Sa programmation n'est pas si unique que ça, en effet. Il reste qu'on vient au Beaubien avec l'impression qu'ici, on n'essaie pas de nous vendre autre chose que des films. Ne craignez rien : l'odeur du pop-corn vous accueillera. Mais il est vendu à un prix raisonnable.

Des festivals des plus originaux se sont pris d'affection pour le Cinéma Beaubien, parmi lesquels le **Festival international du film pour enfants de Montréal** *(mars)*. Parce qu'il y a d'autres choses pour les jeunes pupilles que ce que les Pixar et Disney produisent. Et c'est au Beaubien que ça se déroule, depuis 15 ans, pendant la semaine de relâche scolaire.

Le parc Molson, voisin du Cinéma Beaubien, cache, dans sa section ouest, la sculpture ***Temps d'arrêt* (8 🖼)** (2006), de Jean-Pierre Morin. L'œuvre est caractéristique du travail de l'artiste, notamment par la présence d'un élément vertical et géométrique dans sa partie supérieure. Voilà une œuvre bien discrète, et pourtant plutôt monumentale. Si on ne la voit pas tellement, ce n'est pas tant en raison de la présence d'arbres, mais parce qu'elle tient du passe-partout. N'importe quel autre lieu, n'importe quel autre quartier lui aurait convenu.

↘ *Plutôt que de marcher jusqu'à Saint-Michel, rendez-vous à l'angle des rues Jean-Talon et D'Iberville, à une dizaine de minutes au nord du parc Molson, et prenez le métro jusqu'à la station Saint-Michel. De là, marchez vers le nord sur le boulevard Saint-Michel et tournez à droite dans la rue L.-O.-David. Rendez-vous à la rue François-Perrault et tournez à gauche.*

L'œuvre **Le Mélomane (9 🏛)** (2011), de Cooke-Sasseville, se trouve à moins de 500 m, un peu avant la **bibliothèque de Saint-Michel** *(7601 rue François-Perrault)*, dans le parc François-Perrault. Dans cet immense espace octogonal que se partagent une école secondaire et la bibliothèque parmi d'autres établissements, la

sculpture produit l'effet contraire de celle du parc Molson. Elle représente une autruche, la tête dans un gramophone, comme un clin d'œil à l'école tout près de là, spécialisée en musique. L'évocation du disque, par sa forme circulaire, épouse celle du parc. Autrement dit, cette sculpture ne pourrait pas être mieux que dans ce lieu pour lequel elle a été conçue.

↘ *Pour le prochain point d'intérêt, prenez l'autobus, ligne 99, vers l'ouest. Descendez à la rue D'Iberville et marchez vers le nord. Rendez-vous de l'autre côté de l'autoroute Métropolitaine.*

1

1. Un unicycliste se produit dans le cadre du festival Montréal Complètement Cirque.
© Photo : Rénald Laurin/Montréal Complètement Cirque
2. L'École nationale de cirque et une œuvre par Pierre Fournier. © Photo : Denis Farley

La Cité des arts du cirque

[cirque, architecture, environnement]

La Cité des arts du cirque est devenue en peu de temps un des fleurons du quartier Saint-Michel, voire de tout le nord de la ville. Depuis que le **Cirque du Soleil (10 ▣)** a établi dans les années 1990 son siège social *(8400 2ᵉ Avenue)* dans un ancien site d'enfouissement, l'univers circassien de Montréal a un visage environnemental et social très marqué, en diapason avec le principe de développement durable.

Dans les années 2000, l'**École nationale de cirque (11 ▣)** *(8181 2ᵉ Avenue)* et la **TOHU (12 ▣)** *(2345 rue Jarry E.)* ont rejoint le Cirque du Soleil. Si la première possède ses pistes pour spectacles, c'est la seconde qui est le véritable pôle d'attraction. Son architecture, primée et

certifiée verte, est en soi un geste culturel fort, signé par un consortium d'architectes. Parmi ses particularités, notez, dans le hall d'entrée, l'escalier fait de plaques métalliques aux couleurs vives. Son chapiteau circulaire, en béton, est seul en son genre, très loin de l'image de la tente bohémienne.

Sa programmation est un point de chute naturel pour les troupes d'acrobates et de jongleurs qui viennent des quatre coins du globe. La TOHU, en toute logique, est aussi le quartier général du **Festival mondial du cirque de demain** *(février)* et de **Montréal Complètement Cirque** *(juillet)*. On y présente également des expositions, notamment celle mise en place dans le corridor qui ceinture la salle de

spectacle. Elle est tirée du fonds Jacob-William, une collection de plus de 15 000 documents anciens et contemporains consacrés au monde du cirque.

Notez que des visites guidées du Complexe environnemental de Saint-Michel, voisin de la Cité des arts du cirque, ont fait de la TOHU leur point de départ. Si vous appréciez les vues panoramiques, sachez que le haut de l'École nationale de cirque en offre une toute particulière : l'Oratoire Saint-Joseph et les tours du centre-ville, dans le même cadre. Il est plutôt rare de voir ensemble ces deux pôles situés de part et d'autre du mont Royal.

↘ *Rendez-vous à l'angle de la rue Jarry et du boule-vard Crémazie. Passez sous l'autoroute et marchez dans la rue Jarry vers l'ouest. Arrêtez-vous devant le bâtiment doté d'une murale.*

Bouillon de culture (13 🖼) (2007), de Yannick Picard, fait partie de ces peintures murales qui ne cessent d'apparaître depuis quelques années sur l'île de Montréal, et même au-delà. Ce vaste parc pictural est une initiative de MU, un organisme voué aux nobles missions de la démocratisation de

fait face, intégrée à un banal bloc d'appartements *(8090 av. des Érables)*, est une des premières de ce projet de revitalisation urbaine. Il est aussi symptomatique de l'esthétique générale des murales de MU : une peinture narrative, portée par un message, avec des personnages souvent plus grands que nature, une palette exubérante et des compositions à multiples plans.

↘ *Marchez dans la rue Jarry vers l'ouest jusqu'à la rue Chabot, que vous emprunterez à gauche sur une distance de 900 m, soit l'équivalent de trois rues, et arrêtez-vous devant le no 7285.*

Ici, dans ce secteur aux limites des quartiers Villeray et Saint-Michel, le théâtre **Aux Écuries (14 🎭)** *(7285 rue Chabot)* est une espèce rare. Un des derniers-nés parmi les diffuseurs consacrés aux arts de la scène, cet établissement se distingue par sa localisation excentrée et par sa vocation tournée vers la relève. Investi d'abord à la va-comme-je-te-pousse, Aux Écuries est devenu, après des rénovations majeures en 2011, un centre dramatique de grande classe, doté de deux salles de 140 et 100 sièges, de trois espaces de répétitions et d'un hall-café fort convivial.

Villeray
[théâtre, art public, clowns]

⌐ *Reprenez vers le sud la rue Chabot jusqu'à la rue Bélanger et tournez à droite. Continuez encore sur 650 m, jusqu'à la rue De Normanville. À partir du théâtre Aux Écuries, vous en avez pour une quinzaine de minutes de marche.*

Son nom l'indique bien : l'**Espace La Risée (15** 🏛**)** *(1258 rue Bélanger E.)* vous fera rire. C'est sa mission. Les Productions Drôle de Monde, une compagnie axée sur le jeu clownesque, le déguisement et le mouvement, y ont établi leurs quartiers généraux. La maison, qui offre de l'humour pour petits et grands, connaît sa part de succès depuis son ouverture en 2003. Au menu : de la *commedia dell'arte*, des clowns, mais aussi de la musique, de l'improvisation, de la danse et du théâtre. De quoi vous faire pleurer!

⌐ *Un dernier arrêt vous est proposé à une dizaine de minutes de marche. Continuez dans la rue Bélanger, toujours vers l'ouest, et prenez à droite l'avenue Christophe-Colomb. Faites encore 600 m, jusqu'à dépasser un parc, au nord de la rue Jean-Talon.*

Le **Patro le Prévost** *(7355 av. Christophe-Colomb)* est un de ces complexes culturels et sportifs qui animent la vie d'un quartier. Une bibliothèque, une piscine, des gymnases et une salle de spectacle sont regroupés sous son toit. Mais si on vous le signale, c'est que les murs extérieurs du bâtiment, aussi bien celui de l'avenue Christophe-Colomb que celui de la rue Everett, possèdent leurs œuvres d'art. Ces deux autres exemples des projets menés par l'organisme MU ont la particularité de ne pas s'en tenir à un cadre bien limité.

Ensemble (16 🖼**)** (2009), de Rafael Sottolichio, exploite la verticalité de la façade nord et intègre une variété de motifs, clin d'œil à la diversité des populations qui habitent Villeray. La partie centrale de la composition est occupée par deux silhouettes humaines qui s'entrelacent, un duo qui permet d'opposer le vide et le plein, l'application de deux techniques, l'une en positif et l'autre en négatif. L'une des figures n'est en

réalité pas peinte; elle n'est visible que par les éléments qui la contournent.

Isocèle (16 🖼**)** (2009-2010), du collectif Nayan, s'inspire de la première murale et reprend quelques-uns de ses motifs. Cette seconde œuvre, davantage horizontale, placée sous les fenêtres de la façade ouest, englobe l'ensemble du bâtiment par la sensation de mouvement qu'elle crée.

⌐ *Vous êtes à mi-chemin de deux stations de métro. Revenez à la rue Jean-Talon; vers l'est, vous arriverez à la station Fabre, et vers l'ouest, à la station Jean-Talon, qui a l'avantage de réunir les lignes bleue et orange du métro.*

1. Complexe environnemental de Saint-Michel.
   © Photo : Denis Farley
2. *Ensemble* murale produite par l'organisme MU et réalisée par Rafael Sottolichio au Patro Le Prévost.
   © Photo : Rafael Sottolichio

Carnet d'adresses créatif

Arts visuels

Art Mûr
mar-mer 10h à 18h, jeu-ven 12h à 20h, sam 12h à
17h; 5826 rue Saint-Hubert, 514-933-0711,
artmur.com

Maison de la culture Rosemont–La Petite-Patrie
mar-jeu 13h à 18h, ven-dim 13h à 17h, fermé les dim
d'été; 6707 av. De Lorimier, 514-872-1730,
www.accesculture.com

Le repaire des 100 talents
mar-mer 11h à 18h, jeu-ven 11h à 21h, sam-dim 11h
à 17h; 5867 rue Saint-Hubert, 514-946-9738,
100talents.blogspot.ca

Design

Centre des textiles contemporains de Montréal
lun-ven 9h à 17h; 5800 rue Saint-Denis, espace 501,
514-933 3728, www.textiles-mtl.com

Arts de la scène

Aux Écuries
7285 rue Chabot, 514-328-7437,
www.auxecuries.com

Espace La Risée
1258 rue Bélanger E., 514-931-6630,
www.droledemonde.com

Théâtre Plaza
6505 rue Saint-Hubert, 514-278-6419,
www.theatreplaza.ca

TOHU
2345 rue Jarry E., 514-376-8648, www.tohu.ca

Cinéma

Cinéma Beaubien
2396 rue Beaubien E., 514-721-6060,
cinemabeaubien.com

Bars, cafés, commerces

La Belle Bleue, pâtisserie, 1860 rue Jean-Talon E., Villeray

Bistro Mousse Café, buanderie-café, 2522 rue Beaubien E., Rosemont–La Petite-Patrie

Café Ellefsen bistro, 414 rue Saint-Zotique E., Rosemont–La Petite-Patrie

Café Lézard, bistro, 1335 rue Beaubien E., Rosemont–La Petite-Patrie

Caffè Mille Gusti, café, 1038 rue Saint-Zotique E. Rosemont–La Petite-Patrie

Chez Roger, 2316 rue Beaubien E., Rosemont–La Petite-Patrie

De Froment et De Sève, boulangerie, 2355 rue Beaubien E., Rosemont–La Petite-Patrie

Dépanneur Simon Anthony, « paradis de la bière », 1349 rue Beaubien E., Rosemont–La Petite-Patrie

Esposito, marché, 7030 rue Saint-Michel, Saint-Michel

Les Fromages de Choix, charcuterie, 2101 rue Beaubien E., Rosemont–La Petite-Patrie

Le Petit Medley, bar, 6206 rue Saint-Hubert, Rosemont–La Petite-Patrie

Lozeau, boutique photo, 6229 rue Saint-Hubert, Rosemont–La Petite-Patrie

Librairie Raffin, 6330 rue Saint-Hubert, Rosemont–La Petite-Patrie

Noche y Dia, café, 2534 rue Beaubien E., Rosemont–La Petite-Patrie

Olive et Café Noir, épicerie fine et café, 1109 rue Beaubien E., Rosemont–La Petite-Patrie

Resto la Grand-Mère Poule, 2500 rue Beaubien E., Rosemont–La Petite-Patrie

CALENDRIER DES FESTIVALS ET ÉVÉNEMENTS

© *Conception photo*

1. La scène principale de l'Igloofest.
   © *Photo : Miguel Legault*
2. Les Sœurs Boulay en concert dans le cadre des Francouvertes.
   © *Photo : Michel Pinault*

1

Janvier

Wildside Theatre Festival
www.centaurtheatre.com/wildsidefestival.php
Deux semaines de théâtre audacieux et avant-gardiste, pour découvrir la scène émergente anglophone.

Igloofest
www.igloofest.ca
Festival de musique électronique sous la neige, échelonné sur les trois dernières fins de semaine de janvier et début février.

Février

Francouvertes
www.francouvertes.com
Concours-festival de chanson québécoise durant lequel 21 artistes sélectionnés présentent leur matériel au cours d'une des sept soirées hebdomadaires (février à mai).

2

Mars

Festival Edgy Women

www.edgywomen.ca

Festival féministe qui propose des performances d'artistes singulières, des soirées de projections vidéo, des lancements de livres qui sortent nettement de l'ordinaire, des conférences et des fêtes très courues.

SAT Fest

www.sat.qc.ca

Allongés sur les divans au centre de la Satosphère, les spectateurs admirent une douzaine d'œuvres projetées sur 360° (mars-avril).

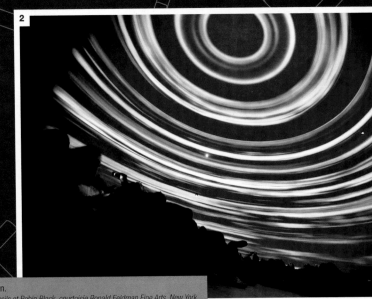

Art Matters
www.artmattersfestival.org
Mise en valeur des nouveaux talents de l'Université Concordia, en arts visuels, danse, musique, cinéma, théâtre et vidéo.

Art Souterrain
www.artsouterrain.com
Événement-exposition-festival qui présente des kilomètres d'œuvres dans le réseau de couloirs souterrains qui traverse le centre-ville de Montréal.

Festival international du film sur l'art (FIFA)
www.artfifa.com
Festival de nature compétitive et plus important carrefour du film sur l'art dans le monde. Tables rondes, vernissages, performances et installations.

Nuit blanche à Montréal
www.montrealenlumiere.com/nuit-blanche
Pendant la Nuit blanche, le métro est ouvert tou et pas moins de 170 activités – généralement ç sont offertes dans une multitude de domaines.

Sous la neige/Under the snow
www.underthesnow.ca
Festival de cinq jours ayant pour mission de fai découvrir et d'encourager la relève musicale, tc confondus, avec spectacles pour toutes les bou

D'un œil différent
www.exeko.org/dod
Exploration de la créativité d'artistes ayant une intellectuelle, par le biais d'expositions en arts forums, d'ateliers et de performances artistique

Avril

Biennale internationale d'art numérique (BIAN)
http://bianmontreal.ca
Événement centré sur les installations alliant art et technologie multimédia (avril à juin).

Dérapage
www.derapage.ca
Présentation de courts métrages non narratifs de moins de trois minutes lors d'un concours au Centre de design de l'UQAM.

Festival temps d'images
www.usine-c.com
Festival hybride qui présente des projets novateurs alliant arts de la scène et de l'image.

Papier – Foire d'art contemporain sur papier
www.papiermontreal.com
Sous un chapiteau blanc près de la place des Festivals se tient la seule foire d'art au Québec qui ait pour mission de démocratiser les œuvres sur papier.

Mai

Festival TransAmériques (FTA)
www.fta.qc.ca
Une trentaine de spectacles de création contemporaine, en danse et en théâtre, en plus des ateliers, débats, tables rondes et projections de films (mai-juin).

OFFTA
www.offta.com
Festival où la création en danse, performance et théâtre est revisitée par des artistes émergents et audacieux (mai-juin).

Elektra
www.elektramontreal.ca
Performances en direct dans la robotique, la vidéo, la danse et l'informatique, le tout avec musique électronique et électroacoustique.

MUTEK
www.mutek.org
Festival de création numérique musicale et visuelle. Une centaine de concerts et autres manifestations artistiques en cinq jours, dans différentes salles de la ville (mai-juin).

Sight & Sound
sightandsoundfestival.ca/index_fr.html
Festival d'art médiatique, technologique et numérique, centré sur les performances et les installations audiovisuelles innovantes.

Portes Ouvertes Design Montréal
www.portesouvertesdesignmontreal.com
Événement biennal qui permet de mieux comprendre les processus de création derrière les réalisations des designers, concepteurs et artistes à travers des expositions, projections vidéo et installations interactives.

1. Biennale internationale d'art numérique (BIAN) : Bill Vorn [QC-CA] – *DSM-VI.* Boîte noire d'Hexagram-Concordia / BIAN 2012.
   © *Photo : Conception photo*
2. Elektra : Yan Beuleux [QC-CA] – *TEMPÊTES,* 2012. © *Photo : Gridspace*
3. Festival TransAmériques : *Alexis, Una tragedia greca.* © *Photo : Pierre Borasci*

SIDIM

www.sidim.com
Vitrine de la création en design industriel et en design d'intérieur. Possibilité de voir ce qui se fait de mieux dans le secteur, au Canada et bien au-delà.

Festival Kinetik

www.festival-kinetik.net
Happening de musique électro-industrielle-noise-hardcore visant à promouvoir la scène électro-industrielle à Montréal et à favoriser les échanges culturels entre différents pays.

Piknic Électronik

www.piknicelectronik.com
Rendez-vous dominical, sur l'île Sainte-Hélène, au parc Jean-Drapeau, d'une foule d'amateurs de musique électronique et de pique-niqueurs aux oreilles curieuses (mai à septembre).

La Biennale de Montréal

www.biennalemontreal.org
Événement sans domicile fixe qui transforme, le temps d'un mois, des lieux aux antipodes du musée en aire d'exposition portée par toutes les formes artistiques, de la peinture au multimédia, de l'installation immersive au dessin intimiste.

Juin

Festival de théâtre de rue de Lachine
www.theatrederue.com
Performances en arts multidisciplinaires dans les rues de l'arrondissement montréalais de Lachine.

Festival St-Ambroise FRINGE Montréal
www.montrealfringe.ca
Étonnant cocktail hétéroclite de musique, de danse, de théâtre et d'humour, tenu dans plusieurs lieux et salles de spectacle du Plateau et du Mile-End.

L'Écho d'un fleuve
www.peristylenomade.org/fr/realisations/lecho-dun-fleuve
Performances, danse *in situ*, installations, rassemblements de ruelle, sculptures collectives et spectacles musicaux dans les espaces publics du quartier les Faubourgs.

Festival international de Montréal en arts (FIMA)
www.festivaldesarts.org
Immense galerie d'art à ciel ouvert, performances multimédias, projections de courts métrages et réalisations en direct dans une section de la rue Sainte-Catherine qui devient piétonne.

Nuit blanche sur tableau noir
www.tableaunoir.com
Fête de rue nocturne sur l'avenue du Mont-Royal : spectacles gratuits de musique et de poésie, activités originales et créatives.

Suoni Per Il Popolo
www.casadelpopolo.com/suoniperilpopolo
Dernières découvertes de la scène musicale montréalaise, en plus des grands noms de la musique actuelle, du jazz, du rock underground, du noise et de la musique électronique.

Festival international de jazz de Montréal
www.montrealjazzfest.com
Présentation en plein air et en salles de multiples spectacles rythmés sur des airs de jazz (juin-juillet).

1. Suoni Per Il Popolo. © Photo : Eddie Rodgers
2. L'Écho d'un fleuve : Nicolas Bonnet, performance *Antéfacts*, 2011.
   © Photo : L'Écho d'un fleuve
3. L'Écho d'un fleuve : Pénélope St-Cyr Robitaille, projet de danse «in situ» *Responsive bodies*, 2012. © Photo : L'Écho d'un fleuve
4. Montréal Complètement Cirque.
   © Photo : Rénald Laurin

Juillet

Montréal Complètement Cirque
montrealcompletementcirque.com
Événement célébrant les arts du cirque. Bon nombre de spectacles payants et
d'événements gratuits un peu partout à travers la ville.

MEG (Montréal Électronique Groove)
www.megmontreal.com
Festival de musique urbaine et dansante qui fait découvrir les univers musicaux
d'artistes canadiens, en majorité montréalais, s'inscrivant dans les courants
électroniques, pop, rock et hip-hop (juillet-août).

1

Septembre

Les Escales improbables
www.escalesimprobables.com
Multiples installations, représentations et performances proposées dans différents lieux : théâtre, danse, musique, marionnettes ou création d'œuvres d'art en direct.

Transatlantique Montréal / Festival Quartiers Danses
www.transatlantiquemontreal.com
Festival de danse contemporaine. Événements extérieurs et en salle.

Le Mois de la Photo à Montréal
www.moisdelaphoto.com
Biennale qui présente des œuvres contemporaines d'images fixes et en mouvement dans un mélange des genres allant de la traditionnelle photographie documentaire à l'abstraction (septembre-octobre).

POP Montréal
popmontreal.com/fr
Festival de musique qui réunit en cinq jours quelque 600 artistes, en plus d'offrir des événements parallèles comme FilmPop, ArtPop et KidsPop.

Août

Under Pressure
www.underpressure.ca
Festival d'art de la rue du Quartier latin qui accueille des artistes aux talents multiples venus créer des œuvres collectives ou individuelles. Le public a souvent le loisir d'y assister en direct.

Festival mode et design Montréal
www.festivalmodedesign.com
Nombreux défilés présentés à ciel ouvert, prestations musicales et autres événements comme les courses en talons aiguilles.

Osheaga
www.osheaga.com/fr
Festival de musique et d'art qui jouit d'une réputation enviable à l'échelle internationale. Plus de 80 000 festivaliers s'y retrouvent en plein air sur l'île Sainte-Hélène, au parc Jean-Drapeau.

2

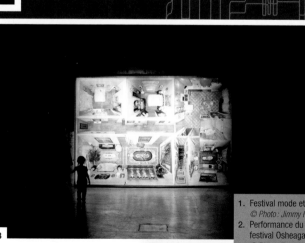

3

1. Festival mode et design Montréal.
   © Photo : Jimmy Hamelin
2. Performance du groupe Plants and Animals au festival Osheaga en 2012.
   © Photo : Patrick Beaudry
3. Le Mois de la Photo à Montréal : vue d'installation, *Arrangements d'après nature* d'Alain Paiement, Fonderie Darling, 2009.
   © Photo : Véronique Lépine

Octobre

Phénomena

www.festivalphenomena.com/phenomena/fr

Célébration de la culture alternative et des nouveaux modes d'expression. Amalgame de procédés artistiques artisanaux, tels le cabaret, la magie, les tableaux vivants, le théâtre d'objets et le théâtre d'ombres.

Festival du nouveau cinéma

www.nouveaucinema.ca

Festival de cinéma novateur. Programmation audacieuse et internationale, explorant longs et courts métrages, vidéos, animation, installations, performances et œuvres interactives.

Viva! Art Action

http://vivamontreal.org

Événement consacré à la performance et à toutes ses plus récentes variantes (manœuvres, interventions publiques et participatives), qui font du corps humain le principal moyen d'expression.

1. VIVA! Art Action : performance de Martine Viale, 2011. © Photo : Guy L'Heureux
2. M pour Montréal. © Photo : Alexandre Bédard
3. Danse Danse : Louise Lecavalier / "I" Is Memory. © Photo : Angelo Barsetti

Novembre

2

Coup de cœur francophone
www.coupdecoeur.ca
Célébration de la chanson francophone dans un heureux mariage entre artistes établis et artistes émergents.

Les HTMlles
www.htmlles.net
Biennale qui dresse un portrait éclaté de l'innovation artistique au féminin, par le biais d'œuvres d'arts numériques, médiatiques et technologiques sous de multiples formes.

Souk@SAT
http://souk.sat.qc.ca
Bazar qui rassemble artisans et créateurs montréalais venus vendre à prix abordables leurs œuvres originales et productions artisanales dans une ambiance animée (novembre-décembre).

M pour Montréal
www.mpourmontreal.com
Déferlement de formations musicales montréalaises en émergence. Quelque 40 artistes sont au programme en trois jours.

Toute l'année

3

Danse Danse
www.dansedanse.net
Organisme qui s'attache à faire connaître la danse contemporaine et à encourager son développement en offrant au public des voix chorégraphiques différentes qui ont en commun un succès international mérité.

Les Ballets Jazz de Montréal
www.bjmdanse.ca
Chorégraphies portées par des interprètes à l'énergie contagieuse et issus de divers horizons artistiques.

Design

Musique

Des ressources pour approfondir et rester à l'affût

Pour en savoir plus et pour rester à l'affût du dynamisme artistique et créatif de Montréal, voici une liste non exhaustive d'initiatives, d'associations et de regroupements culturels de la métropole :

- **Accès culture Montréal**
  www.accesculture.com

- **ArtsScène Montréal**
  www.artsscenemontreal.com

- **Association des galeries d'art contemporain (AGAC)**
  www.agac.qc.ca

- **Conseil des arts de Montréal (CAM)**
  www.artsmontreal.org

- **Culture Montréal**
  www.culturemontreal.ca

- **Culture pour tous**
  www.culturepourtous.ca

- **District Montréal**
  www.districtmontreal.com

- **Diversité artistique Montréal**
  www.diversiteartistique.org

- **English-Language Arts Network**
  www.quebec-elan.org

- **Galeries Montréal**
  galeriesmontreal.ca

- **Montréal Créative (CRÉ de Montréal)**
  montrealcreative.org

- **Montréal métropole culturelle**
  montrealmetropoleculturelle.org

- **Massivart**
  massivart.ca

- **MAP / Mouvement art public**
  mouvementartpublic.wordpress.com

- **La Ligne bleue**
  www.lalignebleue.ca

- **La Vitrine culturelle**
  www.lavitrine.com

- **Le portail Montréal arts-affaires**
  montrealartsaffaires.org

- **Partenariat du Quartier des spectacles**
  www.quartierdesspectacles.com

- **Pied carré (PI2) – Regroupement des créateurs du secteur Saint-Viateur Est**
  www.regroupementpi2.org

- **Réseau Art Actuel (initiative du RCAAQ)**
  www.rcaaq.org

- **Le blogue Vivez Montréal (Tourisme Montréal)**
  www.tourisme-montreal.org/blog

- **Voies culturelles des faubourgs**
  voiesculturelles.qc.ca